仲野教授の
この座右の銘が
効きまっせ！

仲野徹

はじめに

座右の銘をお持ちでしょうか？

この問いにイエスと即答できる人はそう多くないかもしれません。「座右の銘」ってちょっとたいそうなイメージがありますから。でも、しんどい時やつらい時に自分を励ますための言葉や、甘い誘惑にかられたり易《やす》きに流れそうになった時に自分を戒《いまし》めるような言葉はきっと持っておられるはずです。そんな言葉が、意識していなくても、あなたにとっての座右の銘なのです。

それは、ことわざであったり、有名人の言葉であったり、あるいは、身近な親戚、友人や先生の教えであったりするでしょう。きちんとした文章でなくとも、こんな時にはこういうふうに対処しようという漠然とした考え方であってもかまいません。ここまで広げると、そんなものは持ってないと断言できる人はすくないのではないでしょうか。

もちろん、持っていなくてもかまいません。でも、なにか困ったことや、判断に迷うことになった時、なにも指針がなかったら効率が悪すぎはしませんか？　誰の教えであったとしても、座右の銘として記憶されるような言葉は、すくなくともなんらかの意味を持っているに違いありません。そんな言葉を頭に入れておくだけで、人生が過ごしやすくなるはずです。知っておいて決して損はないのです。

もっともらしいことを書いてしまいました。大学教授を長いことしていたので、ついこういうことをかましたくなってしまうんですわ。スンマセン。もちろん、本当にそう考えてます。けど、この本を出すことになった経緯は、こんな立派な考えから、みなさんに座右の銘を知ってほしいと考えてのことではないんです。

自己紹介が遅れましたが、仲野徹と申します。長い間、大学で生命科学の研究にたずさわっていましたが、令和四年に定年退職し、文字どおり晴耕雨読《せいこううどく》の隠居生活をしています。そんなですから、ことわざとか座右の銘についての専門家でもなんでもありません。なんでそんなおっちゃんがこんな本を出すことになったのか、その説明はちょっと長くなるので、本の半ばの「コラム」ですることとします。

で、結論から言います。この本、めっちゃ効きます。そう、読み終わった時、きっとあなたも新たなる座右の銘を持ちたくなるはずです。それは、この本で紹介したものでもいいし、他のものでもかまいません。それから、人によっては、今まで抱いてきた座右の銘を、本当にそれでいいのかと吟味しなおす機会になることでしょう。

座右の銘なんか古くさいわ、とか思わないでください。素敵な座右の銘を持つことは幸福な人生につながる第一歩になるに違いありません。では、ナカノ的座右の銘ワールドをお楽しみください！　きっと、あなたに効く座右の銘が見つかるはずです。

目次

第三幕　座右の銘がとまらない

第四幕　こんな座右の銘は好かん！

第一幕　座右の銘、よりすぐり

1

ついに学ばずして終わるは、
学んで忘るに如かず

by ジャン＝ジャック・ルソー（たぶん）

この本を読み進めるにつれ、え、こんなしょうもないのが座右の銘なんかと呆れられるかもしれない。逆に、おぉ、さすがナカノは素晴らしい座右の銘を持っているではないかと思われるかもしれない。いずれにせよ、すこしは読者の役に立つのではないかと思っている。というか、思いたい。

第一回は、人生最初に得た座右の銘である。高校時代の恩師に教えていただいた。一八世紀のフランス啓蒙思想家、ジャン＝ジャック・ルソーの言葉、あの「むすんでひらいて」を作曲したルソーである。いや、正しくは、そのはずである。

というのは、いまだに原典を見つけられないでいるからだ。見ればわかるように漢文調である。ルソー、漢文、といえば、東洋のルソーともいわれる中江《なかえ》兆民《ちょうみん》しかない。中江兆民は、ルソーの『エミール』を、三分の一の量にして漢文に直してみせると豪語したことがあるほどだ。ネット検索しても、がんばって中江兆民の本を読んでも見つけられていない。誰か知っている人がおられたら、ぜひお教えいただきたい。なので、とりあえず今の段階では「伝ルソー中江兆民訳」としておきたい。第一回からなんとも情けないが、堪忍《かんにん》してください。

○○は△△にしかず、という言い回しは、ほとんど「百聞は一見にしかず」でしか使われない。「ついに学ばずして終わるは、学んで忘るに如かず」と読んでもすぐに意味がとれない人も多かろう。それだけに、ありがたみが漂《ただよ》う。最後まで学ばずに終わってしまうのは、学んで忘れることにはおよばない、という意味だ。もっと平たくいうと、どうせ忘れてしまうかもしれないけれど、なにしろ学んだほうがいい、といったところだろうか。

自分で言うのもなんだが、基本的に学び好きである。本もやたらと読む。しかし、そういった内容を覚えているかというと、まったくそんなことはない。恥ずかしながら、ザルで水を掬《すく》うがごとく忘れていく。下手をすると、先週読んだ本のタイトルや中身でさえ忘れてしまっていることがある。それでも学び続ける。それは、この座右の銘のおかげである。というとちょいとかっこいいが、忘れてしまうことの言い訳に使っているような気がしないでもない。

しかし、である。忘れてしまっていると思っていても、なんらかのかたちで脳の片隅に残っているはずだと信じている。実際、長年、思い浮かぶことなどまったくなかったことであっても、ふとしたきっかけで思い出すことがある。これは誰にでも経験のあることだろう。一度も学んでいなかったら、そんなことはありえない。

アンドロイドで有名な石黒浩《いしぐろひろし》先生と対談したことがある。その時の話題のひとつは、知識なしで人間はどれだけ考えることができるか、ということだった。これまでは、かなりの知識がなければ考えるのに不利だったが、今や、知識は外付けできる時代だ。必要な知識はいつだって外部記憶装置から取り出せる。しかし、まったく知識なしで考えることはできないだろう。はっきりと覚えていなくとも、あんなことがあったなぁと思い浮かべることができなければ、キーワード検索すらできまい。

好奇心が豊かな若い間に、できるだけたくさんのことを学ぶべきだ。狭い意味での勉強ではない。もっと広く、いろいろな活動や人間関係の作り方なども含めて、という意味で。そうして、頭の中に引き出しをいっぱい作っておくべきだ。

いずれ忘れてしまい空っぽになってしまっても、ラベルのついた引き出しは残る。それだけでも十分に意味があるのではないか。そうしておけば、新しいことを学んだ時、すくなくとも分類は可能だ。そんなんわからへんわ、ポイと、ゴミ箱に入れてしまうより、はるかにましである。それに、空っぽと思っていても、奥のほうになにかが残っていることだってよくあるに違いない。

そう考えながら、忘れてしまうことなど承知の上で本を読み続けている。なんと素晴らしい座右の銘だろう。

2

何かを得れば、何かを失う。
そして何ものをも失わずに
次のものを手に入れることはできない。

by
開高健

大阪が生んだ大小説家、開高健《かいこうたけし》の名言である。他にも「何かを手に入れたら何かを失う。これが鉄則です」とか、もっとわかりやすく「オムレツをつくるためには卵を割らねばならない」など、同じ意味のことを開高は繰り返し書いている。これは本当に真実だと思う。なにかを決断する時、特に大きなことを決める時、この言葉を必ず思い浮かべる。作用・反作用の法則ではないけれど、大きなものを得た時には、失うものも大きかったように思うからだ。

沢木耕太郎の映画レビュー本のタイトルに『世界は「使われなかった人生」であふれてる』(幻冬舎)というのがある。いい言葉だ。振り返ってみると人生は一本道だが、いたるところに選ばなかった枝分かれがあって、使われなかった人生、あるいは、あったかもしれない人生が数多く存在するはずだ。

努力の末にあるものを得たとしても、それ以上のものを失っていることもある。大学で病理学を教えていたころは毎年、講義の一回目にその話をしていた。子どものころからやたらと勉強ばかりしてきたのだから、阪大医学部に入れてうれしかったことと思う。私だって、一生でいちばんうれしかったのは大学に合格した時だった。しかし、その時、大きなものを失ったことに気づいているか、と。

医学部に入学するということは、ほとんどの人にとって、医学の道を進む以外の選択肢を放棄したことを意味する。完全に決定してしまったわけではないが、それまで星の数ほどあった「使われなかった人生」の大半を捨てたわけだ。他の学部へ進んでも同じではないかと思うかもしれないが、卒後の進路選択の多様性は医学部とは比べものにならない。得たものよりも失ったもののほうが大きいとは思わないか。

不愉快なことを言うおっさんだと自分でも思う。イヤそうな顔をする学生もたくさんいる。しかし、この程度のことを真実だと受け入れられないようでは、これからの人生は暗かろう。そして、もうひとつ、開高健の言葉を紹介する。それは「位《くらい》高ければ務め重し」だ。ノブレス・オブリージュ——ノブレスは貴族、オブリージュは義務だから、貴族には義務が伴うという意味の言葉——の開高的翻訳である。そして続ける。

いくら一生懸命勉強しても医学部に入ることのできない子も数多くいる。自分でどう思っているかわからないが、君たちはある種の能力が高く生まれてきた。貴族のような位ではないけれど、そのことを意識する必要がある。その能力を活かすためにしっかり勉強するのが、君たちの務めではないのか。よほどの勇気がないかぎり、医師になるという選択を捨て去ることはできないのだから、覚悟して医学の勉強に邁進《まいしん》しなさい。

ますますイヤなことを言うおっさんである。しかし、どう考えてもこれは正しかろう。にもかかわらず、まともに勉強しない学生がけっこういたことには腹が立ってしかたがなかった。

小説家になる前、サントリーの前身である壽屋《ことぶきや》の宣伝部でキャッチコピーを作っていただけあって、開高には名言が多い。パリが掲げる市のモットーの名訳「漂えど沈まず」などは最高だ。ラテン語の「Festina Lente」の翻訳であるという「悠々《ゆうゆう》として急げ」もいい。そんな生き方をしてみたい。

「明日、世界が滅びるとしても、今日、あなたはリンゴの木を植える」が、開高が発した名言でいちばん有名なものとされている。しかし、たとえ開高にこう語りかけられても、なかなかそんな境地になれそうにないのが悲しいところではある（これについては第二四回で詳述します）。

じつは、今回紹介した座右の銘、ずいぶんと長い間、間違えて記憶していた。前半は正しく覚えていたのだが、後半を「そしてその総和は誰にもわからない」と思い込んでいたのだ。なんやそれはと誹《そし》られるかもしれないが、自分ではなかなかいいのではないかと思っている。

その時その時にベストであると考えて物事を決める。しかし、それ以外の「使われなかった人生」がどうなったかなどわかりようがない。それに、得たものと失ったものを常に比べられるかというと、決してそうではない。たとえば、家族、地位、お金、友人、名声。こういったものは度量衡《どりょうこう》が違いすぎて、絶対値を比べることなどできはしない。

何かを得ようとする時は、何かを失うことを覚悟しておく。そして、えいやっと決めたら振り返らない。どのみち総和はわからないんだから。幸福に過ごすには、そう思うのがいちばんではないか。開高健の至高の名言と、自分の思い違いをあわせながら楽しく生きている。

3

いややなぁと思うような仕事ほど引き受けたほうがよろしいで

by 松本圭史

今回は恩師オリジナルである。もうずいぶんと前にお亡くなりになられたが、松本圭史《けいし》先生は大阪大学医学部の大先輩、病理学の大家であった。隣の部屋で研究していたこともあって、「仲野さん頭よろしいなぁ。研究に向いてますで」と、いつもおだてながら育ててくださった。思うに、私の自己肯定感はこうやって育《はぐく》まれていったのかもしらん。

しかし、どうやら、ナカノは研究以外のこと、組織のためや外部からの事務仕事などはまったくやらない勝手な奴と思われていたようである。だから、こういう言葉を授けてくださったに違いない。一度や二度ではなく何度も何度も言われたので、間違いなかろう。この後に、いつも、「後から振り返ったら、だいたい、そういった仕事ほどやってよかったと思いますで」と、説得するように付け加えておられたし。

声を大にして言っておくが、研究以外の雑用をやらない、というのは大いなる誤解である。ただ、そう思われてもしかたがない節はある。というのは、自分から進んで手をあげることは決してなかったからだ。そりゃそうだろう。他にやってくれる人がいるのに、自分の時間を雑用に使うのはもったいないではないか。私の人生はそんなことに煩《わずら》わされるほど長くはない。

とか書きながらも、じつは雑用的な事務仕事をこなす能力は相当に高いと自負してきた。さらに極秘にしてきたが、じつはそういった仕事が好きなのだ。その理由は、事務仕事はやればやるほど進むし、出来不出来は別として期限がくれば終わる、というすぐれた性質を持っていることに尽きる。

それに対して、本業であった研究は真逆といってよい。やったところでまったく前進しないこともよくあるし、基本的にエンドレスである。なので、精神衛生上は事務仕事のほうが圧倒的によろしい。得意だからこそ、始めてしまったら一生懸命になってしまう。だから、事務仕事を積極的にはやりたくなかったのである。

とはいうものの、研究以外のいろいろな仕事を依頼されても、ほとんどお引き受けしてきた。おそらく、そのバラエティーを聞いたら驚かれるはずだ。もちろん、松本先生の教えに従ってのことである。いろんな雑事を進んで引き受ける人は偉い、と思われるかもしれない。しかし、よく考えてみてほしい。そんな輩《やから》よりも、嫌なのに引き受ける私のような人のほうが偉くはないか。

私にとっての知的アイドルである梅棹忠夫《うめさおただお》に「請われれば一差し舞える人物になれ」という言葉がある。基本的にはその精神だ。時には、これは能力的にかなり厳しかろうなぁ、という話が持ち込まれる時もある。しかし、頼むほうもバカではない。ナカノならできるだろうと判断してご依頼いただいているはずだ。ならば受けるべきではないか。そういう時こそ、この銘の出番だ。きっと終わったら得ることが多いはずだと言い聞かせてお引き受けする。

もしもうまくこなせなかったら、という不安がよぎることもある。しかし、自分から手をあげたわけではないのだから、免罪符がある。「いやぁ、これは頼んだほうが悪かったんですわ、どう考えても」と申し開きをできるという免罪符が。

この教え、若いころは、騙《だま》されてるんとちゃうかと懐疑心を持っていた。だが、これまでの経験ではたしかに正しい。還暦を超えたころから、いよいよ納得できるようになってきた。われながら大人になったものだ。次の世代にもぜひ語り継ぎたい。

もうひとつ、松本先生にはご恩がある。二〇一一年にNature誌に論文を出せた時にお祝いのお手紙をいただいた。そこには、若い人と飲みにでもとお小遣いが同封されていた。そのお気持ちが本当にうれしかった。飲みには行ったけれど、その時のお札は使わずに、手紙といっしょに大事にしまい込んである。

今回の原稿を書くにあたって、その手紙を久しぶりに読み直した。「先生は他の人より一桁上の能力を有している」と、やっぱりおだててくださっていた。しかし、すっかり忘れていたけれど、次に驚愕の但し書きコメントが……「研究に対してだけ」と。トホホ、いったいどう思われてたんでしょうね、ホンマに。

もし生きておられたら、今の私を見てどうおっしゃるだろう。いろんな仕事を引き受けるようになって偉かったとお褒めいただけるだろうか。それとも、本とか書いてないで、もっと研究せなあきませんかったで、とお叱りを受けるだろうか。どちらでもいいから、お話をしてみたくてたまらない。

4

Part of being a big winner is
the ability to be a big loser.

（偉大なる勝者たるには、偉大なる敗者たれ）

by エリック・シーガル

今回は英語、エリック・シーガルの言葉である。といっても、今やその名は忘れ去られているような気がする。昭和四十六年に日本で封切られ大ヒットした「ある愛の詩」の原作者、といえば思い出される方もおられるだろうか。原題は「Love Story」、アンディ・ウィリアムスが英語のみならず日本語でも歌った主題歌が大ヒットした。こう書いているとやたらと懐かしくなってくる。

大金持ちで一族みんながハーバード大学出身というライアン・オニール演じるオリバーと、家柄はそれほどよろしくないアリ・マッグロー演じるジェニーが主人公である。オリバーの父親の反対を押し切って結婚した二人だが、ジェニーが白血病に冒《おか》されて亡くなる。いろいろあったけれど最後には父子が和解するという、まぁ、今となっては、どうしてそんな陳腐《ちんぷ》な恋愛物語が大当たりしたのかよくわからない映画ではある。

その中で、オリバーがジェニーに言う台詞のひとつがこれだ。「ある愛の詩」

といえば、「Love means never having to say you're sorry.（愛とは決して後悔しないこと）」が名文句中の名文句として有名だが、こちらのほうが変に印象に残っている。

映画を見ただけでよくそんなものを覚えている、ナカノはよほど記憶力がいいのか、と思われるかもしれない。しかし、それは誤解だ。今をさかのぼる四十数年前の大学生時代、当時は中之島にあった阪大医学部の近くのＹＭＣＡ英会話学校に通っていた時の教材がこの映画で、繰り返しビデオを見せられたからにすぎない。

「偉大なる勝者たるには、偉大なる敗者たれ」とでも訳せばいいのだろうか。この後「There is no paradox involved. It is a distinctly Harvard thing to be able to turn any defeat into victory.」と続く。「これは逆説などではない。どのような敗北をも勝利へと反転させることができる。それが間違いなくハーバード的なのである」といったところか。なにもハーバードの専売特許ではなかろう。誰だって勝ち続けることなどできるはずがない。負けた時にどう立ち直るかが大事なのだ。「負けるが勝ち」などというちょっと悔しさのまじった言葉より積極的なところが気に入っている。

なんやねんそれはと言いたくなるが、驚くべきことに、わが妻の座右の銘は「不戦勝」だ。とことん運がいいのか、なにか問題が生じても、相手が勝手にこけてくれるように見えるから恐ろしい。経験上よくわかっておりますので、当然のことながら、できるだけ争いは避けて逆らわないようにいたしております、ハイ。その対極にあるのが、畏友《いゆう》であるミステリー作家、久坂部羊《くさかべよう》の亡くなられた御父君のモットーで、なんでも、戦わずして負ける「先手必敗」だったそうな。なんだか泣けてくる。

世の中にはいろいろなタイプの人がいるから、勝ち負けの判断は意外に難しいかもしれない。時々、周りから見ていると負けたとしか思えないのに主観的には勝ったと思っている人がいたりする。負けが明らかなのに戦い続けるのは最悪だ。たぶん、そういう人は偉大なる勝者にはなれまい。ある意味、あきらめも必要なのだ。

失意泰然《しついたいぜん》という言葉も今回の銘に通じるものだ。明《みん》時代の陽明学者、崔後渠《さいこうきょ》による六然《りくぜん》のひとつである。この六然、歴代首相や数多くの財界人の指南番を務め、昭和最大の黒幕といわれた陽明学者・安岡正篤《やすおかまさひろ》もよく揮毫《きごう》していたというだけあってさすがに素晴らしい。

自処超然《じしょちょうぜん》　自分自身に関しては世俗にとらわれない
處人藹然《しょじんあいぜん》　人と接する時は藹々として楽しませる
有事斬然《ゆうじざんぜん》　事ある時は勇断を持って迅速におこなう
無事澄然《ぶじちょうぜん》　何もない時は心を澄んだ状態におく

得意澹然《とくいたんぜん》　得意な時ほど淡々と謙虚にふるまう
失意泰然《しついたいぜん》　失意の時こそゆったりとかまえる

雨ニモマケズ 風ニモマケズ サウイフモノニ ワタシハナリタイ。

5

専門のことであろうが、専門外のことであろうが、要するにものごとを自分の頭で考え、自分の言葉で自分の意見を表明できるようになるため。たったそれだけのことです。そのために勉強するのです。

by 山本義隆

日々、生きていくというのは、新しい情報や知識を取り込み、自分の頭で考え、自分の意見を表すことの連続である。いや、そうあるべきだ。賢さは伝染しないが、経験上、アホは確実にうつる。自分の頭で考えずにボンヤリしていたら、アホなほうに流されていく。それを戒めるための座右の銘だ。

あの山本義隆《よしたか》の言葉である。「あの」と書いたが、知らない人のほうが多いかもしれない。東大で素粒子論を学び将来を嘱望《しょくぼう》されるも、東大全共闘議長を務め逮捕されたことから野に下り、以後、『磁力と重力の発見』『一六世紀文化革命』（以上、みすず書房）、『近代日本一五〇年　科学技術総力戦体制の破綻』（岩波書店）など、素晴らしい著作を発表し続けている科学史家だ。長い間、駿台予備校で物理を担当し、参考書も出されているので、そのあたりでお世話になった人もおられるだろう。

どうでもいいことだが、山本義隆は大阪府立大手前高等学校の十五年先輩にあたる。面識などまったくないが、私が高校生のころには、すでに伝説の秀才として語り継がれていた。図書館の本をすべて読破したとか、授業中に遊んでいてもどんな質問にも答えることができたとか、まるで聖徳太子みたいな感じで。

日本は「なんとか道」（「みち」ではなくて、柔道や茶道の「どう」）の国だけあって、一貫性が好まれる傾向が強い。なので、私なんぞのようにけっこう頻繁に意見を変える人は、ええ加減な奴と思われがちだ。しかし、それはおかしいのではないか。

芭蕉いうところの不易流行《ふえきりゅうこう》。永遠に変わらないものを大事にしながら、新しいことを取り上げていくことが肝要なはずだ。そうでないと、個人レベルでも社会レベルでもなんら進歩がなかろう。そのためには、まず自分の頭でしっかりと論理的に考える。次いで自分の言葉で周囲の人と意見を交わすことができねばならない。

決して、自分の意見を通すために言葉にするのではない。自分の言葉を聞いてもらって、それに対する他人の意見を参考にする。そして、さらに自分で考える。それを繰り返すことによって、自分らしく正しい考えを練りあげていくべきということだ。

こんな考えを持っている上に「いらち」なのはすこし困りものだ。いつまで経っても頑迷《がんめい》に考えを変えようとしない人にしびれを切らし、面と向かって「一貫性があればええというもんとちゃうでしょう」とか言ったりして怒りを買うことがある。そういう人には、「一貫性は無能の証し」とでもいう言葉を座右の銘にしてほしいところですけど、無理な注文ですわな。

阪大医学部で病理学総論を教えていた。毎年、総計五十時間の講義の最初と最後にこの言葉を紹介していた。この山本義隆の言葉のような気持ちで勉学に励んでほしいところだが、残念ながら、多くの学生は試験に合格するための暗記しか眼中にない。今や医学部は、初期研修も入れると八年制の高度専門学校になってしまっており、その間に覚えねばならないことが膨大であることは理解している。しかし、教育というのは決して記憶させることではない。

Education is what remains after one has forgotten everything he learned in school.

（教育とは、学校で学んだすべてのことを忘れてしまった後に残ったものである）

さすがはアルバート・アインシュタインだ。本質的なところで、山本義隆の言葉と似てはいまいか。大学で学ぶべきことは、知識ではなくて、考え方なのだ。時代が進み、情報が新しくなっても、考え方は古びないし、一度身についた考え方は一生モノだ。

で、お前はそんな教育をしていたのかと問われると、そのつもりやったんですけど……、と胸を張らずに小声でお答えしておきたい。

6

確実に予見できる出来事が一つだけある。それは、自分がいずれ死ぬということである。

by フランソワ・ジャコブ

縁起でもない座右の銘だと思われるかもしれない。しかし、これは絶対に肝に銘じておくべきことだ。

ここでは、遺伝子発現調節のオペロン説でノーベル賞を受賞したフランス人生物学者フランソワ・ジャコブが、その著書『ハエ、マウス、ヒト　一生物学者による未来への証言』（みすず書房）に記した文を挙げているが、同じような内容の言葉は至る所で語られている。

あたりまえすぎて、こんなのを座右の銘にする必要はなかろうと思われるかもしれないが、そのようなことはない。なにしろ、誰もが忘れがちであり、この言葉には二つの重要な教えが含まれているからだ。

ひとつは『人みな骨になるならば』（時事通信社）のような考え方。これは、大阪大学医学部の先輩、精神科医であった故・頼藤和寛《よりふじかずひろ》先生が書かれた本のタイトルである。そうなのだ。人間、死んでしまえば最後は骨になり、残るはスカスカの状態のリン酸カルシウムの塊にすぎないのだ。身もふたもないけど、これが真実。

この本、サブタイトルに「虚無から始める人生論」とあるように、人生に意味などはないと説く。そういった虚無の境地に立つからこそ、やりたいことをやろうという気になれる。素晴らしい教えではないか。さらに、宇宙の規模や歴史を思えば、人生におけるさまざまなことは小さな出来事でしかないと説いていく。

突然だが、私はやたらと氷河が好きだ。もともとそんなことを考える必要がなかったせいか、人間の脳というのは、あまり長いスパンの時間軸で物事を考えるようにはできていないらしい。しかし、氷河の上に立つと、時の流れを実感することができる。山岳地帯では年間にたった一〇メートルほどしか流れないのだから、人生百年としても、わずか一キロメートルだ。たった一キロメートルの人生、そこからここまででしかない。そのようにして時間を視覚化してみると、小さなことで悩むのがアホらしくなってくる。心が静まり、他人に腹を立てたりうらやんだりすることも馬鹿馬鹿しくなってくる。

なんや、ネガティブな座右の銘やなぁ、と思われるかもしれない。しかし、この言葉から読み取ることができるもうひとつの教えは、いつか死ぬことは確実なのだから、それを意識して豊かな人生を歩むべきということだ。どや、ポジティブやろ！

『The Top Five Regrets of the Dying』（邦訳：『死ぬ瞬間の5つの後悔』新潮社）という本がある。著者のブロニー・ウェアはオーストラリアの看護師で、緩和ケア病棟の末期患者から聞いた話をまとめた本である。そのエッセンスは以下の五つ。

「他人に左右されず、自分らしく生きる勇気を持てばよかった」
「あんなに働かなければよかった」

「自分の感情をもっと表に出す勇気を持てばよかった」
「もっと友達といっしょにいればよかった」
「もっと自分自身を幸せにすべきだった」

この本を読んだ時は衝撃を受けた。考えてみればあたりまえのことばかりである。周囲からどう思われてきたかはわからないが、主観的にはあまりできていなかったような気がした。以来、考えを改め、こういった後悔をしないように心がけている。必ずしもすべてできているわけではないが、今はかなりいい線だ。客観的には行きすぎと思われているかもしれないのがやや腹立たしいけれど、まぁそれは不徳の致すところである。

私は生後七カ月で、三十五歳だった父親を亡くしている。だから、余計に死ぬことが気になるのかもしれない。でも、幸せな気持ちで死ねるように心がけたほうがいいに決まっている。一所懸命に働いている人ほど、二つ目の「あん

なに働かなければよかった」が気になるのではないだろうか。さて、あなたは
どうだろう？

第二幕　座右の銘すなわち人生

7

Do not lie, if you don't have to.

（嘘はつくな、必要がない限りは）

by
レオ・シラード

仲野徹、恥ずかしながら帰ってまいりました。って、横井庄一か。なんのことかわからない人は気にしないでください。と、書かれても、意味不明ですわな。

本の真ん中あたりにあるコラム「この本の成り立ち」に詳しく書いてあるのですが、もともとは雑誌とウェブに連載したものを単行本にまとめたものです。当初は六回で終わる予定の雑誌連載だったのですが、あまりの好評に（↑自分でいうな！）、すこし期間をおいてあと九回延長したのです。

延長のほうが長いってどうよ、というような気持ちもあって、とりあえず「恥ずかしながら」続けていきまする。

＊　＊　＊

まずはレオ・シラードの言葉だ。あまり有名ではないかもしれないが、アインシュタインをたきつけてルーズベルト大統領に原子爆弾開発を勧める手紙を書かせた学者、というと思い出す人がおられるかもしれない。ハンガリー生まれのユダヤ人で、物理学者だったが、のちに分子生物学者に転向したという研究者である。

この人の名前を知ったのは、西ドイツに留学した時だ。留学先だったEMBL（欧州分子生物学研究所）の図書室の名前がSzilárd Libraryだったからである。なんでも、欧州分子生物学機構（EMBO）の設立にずいぶんと貢献があったらしい。

で、今回の座右の銘「嘘はつくな、必要がない限りは」である。もともとはドイツ語で書かれた「シラードの十戒」のうちの七番目、「Lüge nicht ohne Notwendigkeit.」なので「Do not lie without need.」と訳されているものもある。たしかに、そのほうが正しいかもしれないが、なんとなく「without need」より「if you don't have to」のほうが気に入っている。

どうしてこれが座右の銘かというと、まずは、自分が正直ではないからだ。

だって、根っからの正直者で決して嘘をつかないなら、このような格言は不要ではないか。では嘘つきかというと、決してそんなことはない。ような気がする。なぜなら、ほとんど嘘をつかない（ことにしている）からだ。どっちやねん！　と怒ったりしないでください。（できるだけ）嘘をつかない理由を説明します。

それは、じゃまくさいから。嘘をつけば、いちいち、誰にどんな嘘をついたかを覚えておかないとややこしいことになる。あまり大きくないと自覚している記憶のキャパシティーをそんなことに使いたくはない。だから、生来正直ではないのにほとんど嘘をつかへんという、かなり消極的な正直者なのだ。ややこしい奴やなぁと思われるかもしれないが、ちょっと考えてみてほしい。生まれつき正直で嘘をつかない人と、正直ではないけれども嘘をつかないようにして生きている人とどちらが偉いか。後者、がんばって嘘をつかないほうが偉いとは思われないだろうか？　それが私です。

でも、ときどきは嘘をつく。どんな時かという具体例は企業秘密なので書くわけにはいかないが、どうしてもつかねばならぬ時だ（念のために言っておきますが、研究では絶対につかなかった）。めったにないけれど、そのような時は自分の良心に確かめる、これは本当に嘘をつかねばならぬ時なのかと。シラード先生に教えを請うかのように。

シラードの十戒は、他も含蓄《がんちく》のある言葉ばかりなので、興味のある人はネットで検索してみると面白い。英語の「The ten commandments of Leó Szilárd」やドイツ語の「Zehn Gebote」だけでなく、日本語で紹介されているものもある。十戒以外にもシラードはいろいろな名言を残している。その中で好きなのは、「この世界で成功するには、他の人たちよりもうんと賢い必要はない。一日早ければいいだけだ」というものだ。特許の出願なんかは完全にそうなっている。しかし、この言葉は、おそらくシラードの若いころの恐ろしい経験によるものなのである。
先見性に満ちたシラードは、多くの人たちが大丈夫だろうと高《たか》をくくっている時、すでにナチスの恐ろしさを見抜き、ドイツからウィーンへと脱出した。なんと、その翌日、国境で非アーリア人に対する取り締まりが始まった。こういうエピソードを聞くと、「一日早ければいいだけだ」という言葉の重みが違ってくる。

シラードは原爆開発に極めて大きな役割を果たしたのですが、大戦末期には日本への投下を阻止しようと活動します。この点だけをもってしても、複雑で、理解するのが難しい人だということがよくわかります。しかし、そういうエピソードを知って今回の座右の銘を眺めてみたら、いちだんと含蓄が増しはしまいか。レオ・シラード、畏《おそ》るべし。

8

世界は「使われなかった人生」であふれてる

by
沢木耕太郎

座右の銘としてはちょっと不思議な言葉かもしれません。しかし、なにか大きなことを決める時、この言葉を思い浮かべることが多いのです。いや、最近は歳をとって、もう大きなことを決めるような機会はほとんどなくなってきたから、多かったと過去形で述べるべきかもしれませんが。

大好きなノンフィクション作家、沢木耕太郎の言葉、というより、本のタイトルであります。映画評が三〇編と映画を巡るエッセイが二編からなる本です。幻冬舎文庫になっていますが、ベストセラーをたくさん出している沢木の本にしてはあまり知られていないほうでしょう。

＊　＊　＊

人生において、あそこで現実とは違った判断をしていたらどうなっていただろうかと思われることはないだろうか。目が悪いからどうしようもなかったけれど、小さいころはパイロットに憧れていた。あんな出来事がなくてあの子と付き合い続けていたら、まったく異なった人生になっていたはずだ。などなど、六十有余年の人生を振り返ってみると、さまざまな分岐点があった。

コーヒーにするか紅茶にするかといったどうでもいいようなことから、誰と結婚するか、どんな職業に就くかといった大きなことまで、生きていくというのは選択の連続である。しかし、膨大な選択の結果として歩んできた人生は、振り返ってみると一本道でしかない。

運命というのとはすこしニュアンスが違う。元阪大総長、朝日新聞「折々のことば」でおなじみの鷲田清一《わしだきよかず》先生は「偶然の出来事がだれかにとって決定的な意味をもったとき、ひとはそれを運命とよぶ」と書いておられる（『ことばの顔』、中公文庫）。たしかに、運命というのは、振り返ってみた時に初めてわかるようなものに違いない。

自分の性格は、あっさりしている、より正しくは、あるいは悪くいうと、投げやりだ。大昔から、記憶が正しければ高校生時代くらいから、なにかを決める時は、考え抜いてエイヤッと決めて、あとはぐじゃぐじゃと考えないことにしてきたせいかという気がする。あとからいろいろと悔やんでも、元に戻れはしないんだから考え込んでも意味がない。

ライオン宰相・濱口雄幸《はまぐちおさち》は「人生は込み合う汽車の切符を買うため、大勢の人々と一緒に、窓口に列を作って立っているようなものである」とよく語っていたという（城山三郎『男子の本懐』、新潮文庫）。自分の並んでいる列がなかなか動かないと思って速く進みそうな列に移る。しかし、その列も動かない。やっぱり元の列に戻ろうと思ったら、そこにはもう自分の場所はない。すこしニュアンスが違うが、この言葉も気に入っている。

大学教授という仕事柄、進路の相談を受けることがけっこうあった。いっしょに考えて、こういった理由でこちらのほうがいいのではないかと伝える。そして「でも、決めるのは自分自身やから、いろんなことを勘案してよう考えてエイヤッと決めたらええわ。でも、その後は振り返ったらあかんで」と、自分がしてきたのと同じことを話す。さらに、最後に必ず付け加える。「どうしようか迷うというのは若さの特権なんやから、悩むことをせいぜい楽しみや」と。だらだらと悩むのはよくないが、しっかり悩むことは人生の糧《かて》になる。

先生、あの時ご相談に行って本当によかったです、と言われることがけっこうあった。しかし、ほとんどの場合、相談内容はおろか、相談されたことさえ記憶にない。その時は一生懸命考えてあげたのだとは思うけれど、しょせん他人はその程度だ。決断する時、あてにしすぎないほうがいい。

沢木は、「使われなかった人生」と「ありえたかもしれない人生」には微妙な違いがあるとする。「ありえたかもしれない人生」には、あの時ああしておけばよかったという夢を見るような遠さ、ちょっとした後悔と言ってもいいのだろうか、がある。それに対して「使われなかった人生」には、そういった惜しむ気持ちがない。なるほど。そう言われてみると、「使われなかった人生」

という言葉、すっごいええと思わはりませんか？

さらに「ありえたかもしれない人生」と違って、「使われなかった人生」は今からでも利用できる可能性があるという。昔やってみようと思ったけれど手をつけなかった趣味を始めてみる。あるいは、小さいことだけれど「大人買い」なんかも同じようなことだろうか。もちろんそれで人生が変わるほどのことはない。でも、昔咲いたかもしれない花を、何年も経ってからちょこっと咲かせたりできたらうれしいやないですか。

もしかすると、「使われなかった人生」をどれだけたくさん持っているかが、人生の豊かさなんかもしれんなぁという気がしてきたんですけど、どうですやろ。

9

人みなの　よしといふとも　われひとり　よしと
思わねば　よしとは云わじ
われひとり　よしとおもわねど　人みなが　よし
とし言はば　よしと思はむ

by
長谷川如是閑

なんとなく平安時代の歌みたいですが、明治から昭和にかけて活躍した言論人、長谷川如是閑《にょぜかん》の言葉です。ちょっと読みにくいし、意味がすんなり入ってこないので、自分でもちゃんと理解できているかどうか、今ひとつ自信がありません。そんなややったら書くな！　と言われそうですけど、気に入っているのだからしかたありません。なんとなく、難解な座右の銘を持ってたら、かっこええやないですか。

＊　＊　＊

マジョリティーと自分の意見が違うことがけっこうある。時には極端なこともあった。現役医学部教授時代のことだが、ある案件をめぐってメールでの教授会審議がおこなわれた。六〇人くらいの投票者のうち、私一人だけがB案で、他が全員A案。ホンマですか……。案件の責任者からA案に誘導するような依頼があったとはいえ、いささか驚いた。みんな素直すぎるやないか。

もっと驚いたのは、後日、まったく関係のない他の部局の人から、「先生、勇気ありますね。一人だけ堂々と反対されたと評判になってます」と言われたこと。噂になっとるんや。こんなちっこいことが他部局の人の耳にまで入るとは、大学っちゅうのは、どんだけおもろい話のないとこやねん！

ホンマですか……、アゲイン。いやいや、まさか一人だけとは思わなかったわけで。もし、すこしでもそんな状況を予測できていたら、私とてA案にしてましたがな。単に、空気が読めなかったっちゅうことですわ。しかし、こうやっていわれなき伝説、たとえば「ナカノ天邪鬼《あまのじゃく》伝説」とか作られていくんでしょうな。不本意ながら。

そう思われてもしかたのない節がないでもない。「よし」をA案に当てはめれば、この長谷川如是閑の言葉のひとつめがそういう行為にあたる。「人みなのA案といふとも　われひとり　A案と思わねば　A案とは云わじ」、といったところだ。それに比べると、二つ目のはすこしわかりにくい。似たようなシチュエーションであっても、云いまではしないが、思いはしておこう、ということなのだ。

ちょっと解釈を悩むところなのだが、自分だけ意見が違う時は、他の人たちの考えによりそう必要がある、と説いているのではないかと思っている。不和雷同ではなくて、君子のごとく「和して同ぜず」を勧めているのではないかと。ちゃうかもしらんけど。

だが、他人と違った考えをしがちなのは科学者の性《さが》としていたしかたないのではないかと言い訳をしておきたい。ハンガリーが生んだ偉大な生化学者、ビタミンCの発見でノーベル賞に輝いたセント＝ジェルジ・アルベルトは、「発見とは、誰もが見てきたことをじっくり見据えた上で、誰一人として考えつかなかったことを考えてみることである」との名言を残しているくらいだし。

ある知り合いの先生はもっと徹底しておられて「朱に交われば青くなる」と

いう示唆に富む言葉を作られた。「赤くなる」の誤植ではない、青だ。どうしてかというと、みんなが朱いからといって、同じように朱くしていたら、とんでもない状況に陥ってしまって青ざめるようになってしまうから、という理由だ。私とて付和雷同《ふわらいどう》したくなることがある。しかし、そんな時はこの言葉を思い出し、後で青ざめることがなさそうかどうかをしっかりと見極めている。

みなと違うように考えたらどうですか、というような言葉はいくつもある。きっと、大事だけれど難しいからだろう。あるいは逆、難しいけれど大事だから、かもしれない。有名なのは、スティーブ・ジョブズによる「Think different.」というアップルのスローガンだ。一九九七年に作られたＣＭでは、アインシュタインやら、ジョン・レノンやら、すごいメンバーが映し出されていた。

まったくやらないから知識はないのだが、株式投資では「人の行く裏に道あり花の山」というのが有名らしい。逆張りの勧めである。そしてこの言葉には「いずれを行くも散らぬ間に行け」という続きがある。株式のみならず、研究者にとっての格言にも使えそうだ。

今回の言葉をどこで知ったかというと、出久根達郎の『行蔵は我にあり　出頭の102人』（文春新書、ただし絶版）の冒頭に紹介されていたからだ。ここでいう「出頭」は、警察に捕まりに行くんじゃなくて、「他に抜きんでていること」（広辞苑）の意味。それから、タイトルの「行蔵は我にあり」は、もちろん勝海舟の名言「行蔵は我に存す、毀誉は他人の主張」に由来する。

本の宣伝文句には「世の称賛も悪口も我関せず、自らの信ずる道を歩んだ、二十世紀の一〇二人。」とある。なるほど、その初期の段階でファシズムを批判した如是閑の言葉がなぜトップに置かれているのがわかるような気がする。出頭にはほど遠いけど、できるだけ自分の考えには忠実に生きていきたいですわな。

10

手間はミニマム VS 横着は敵

by 仲野徹

今回は自作の座右の銘を紹介したい。えらそうに、と思われるやもしれませんが、第一〇回記念ということでまけといたってください。

＊　＊　＊

まずは「手間はミニマム」。これは座右の銘というよりも習い性だ。人生は思っているよりも短い。父親が、私の生後七カ月に三十五歳で亡くなったせいか、この考えがうんと若いころから染みついている。なので、できるだけ効率よく生きることを心がけてきた。

世の中、無駄なことが相当にある。いっちゃあなんだが、大学における事務仕事もそういう面が強い。迷惑をかけない程度に手を抜く、といえば聞こえが悪い、元へ。効率化させることを念頭においていた。完全に習い性になってしまっているので、自分に「手間はミニマム」と言い聞かせることはない。それよりも、先生、これどうしましょうかと尋ねられた時に、「適当に仕上げてもまったく問題ありませんから、手間はミニマムでいきましょう」などと口にすることが多かった。

ただし、これには限度がある。手間を省きすぎて、かえって大きな問題につながることすらあるからだ。なので、手間を省く時には、必ず自問する。これは横着ではないか？　手間を省いても問題がないか？　と。そのため、この習性と対になっている座右の銘が「横着は敵」なのである。


この言葉は、自分で実験をしていたころに、何度も何度も手抜きをして痛い目にあった経験による。四十歳くらいから自分に言い聞かせていたので、これもずいぶんと古くからある私的座右の銘である。この言葉を紹介する時、いつも例に挙げるのは、Okazaki Maneuver――岡崎マヌーバ、あるいは、岡崎法とでも訳せばいいのだろうか――DNA複製の岡崎フラグメントに名を残す岡崎令治《れいじ》のエピソードだ。

DNA複製機構の研究でのノーベル賞受賞者、アーサー・コーンバーグの研究室に留学していた時、サンプルを大量に調整する必要に迫られた。まず、少数の小さなチューブによる予備実験で条件検討をおこなった。ふつう、次は大きなチューブにスケールアップしたくなる。それが人間の性というものだ。しかし、岡崎は違った。膨大な数の小さなチューブでの実験に取りかかったのだ。チューブのサイズを変えると、熱の伝わり方が違ったりして条件が変わり、うまくいかなくなってしまうことがあるので、たしかにそのほうが確実だ。しかし、じゃまくさいので、なかなかできることではない。それを見ていたコーンバーグが「Okazaki Maneuver」と名付けて絶賛した。これを、私流に言わせると、「横着は敵」ということになる。

肝心な点は、「手間はミニマム」と「横着は敵」をきちんとセットで使うことだ。なんでもかんでも細かいことまで気にしすぎたらキリがない。だから手間はミニマムでいくべき。でも、横着をかまして失敗したら元の木阿弥《もくあみ》。結局は、最初からきちんとやっていたほうが早く済む可能性もある。だから、この二つのバランスをうまくとることが、人生における燃費をあげるコツなのだ。

ここでちょっと宣伝。『考える、書く、伝える　生きぬくための科学的思考法』(講談社+α新書) という本を上梓いたしております。大阪大学の新入生におこなったゼミを本にしたもので、シンプルな考え方の重要性を説きながら、プレゼンや論文の書き方を身につけてもらおうといった内容でございます。新聞書評でも取り上げられ、絶賛発売中なので、何卒よろしくお願い申し上げます。ということで、元へ戻ります。

その本でも紹介した自家製格言がある。「一貫性はアホの免罪符」というものだ。ある程度の一貫性はいいが、時代はうつろう。なので、しがみついている一貫性が本当に正しいのかどうかを常にチェックしなければならない。しかし、一貫性というのは、どちらかというと好ましいものとされているので、なかなか手放しにくい。そこでこの言葉だ。ある考えに固執するのが果たして正しいのかどうか。なにも変えないことの免罪符として一貫性を維持しているにすぎないのではないか。常に自問すべきである。

ただし、この言葉は自分に問いかけるにとどめておいたほうがいい。議論が白熱して、いつまでも考えを変えない相手に発するのはご法度である。一度、つい言ってしまって、えらく怒らせたことがあるから間違いない。

ついでにもうひとつ、これは世界的な真理だが、決して他人に向けて放ってはならず、自分に発するにとどめておくべき格言がある。それは「ホンマのことを言われて怒るのは人間のカス」というものだ。正しいからといって、欠点を相手に伝えておいて、この追い打ちをかけるのはよろしくない。特に配偶者間では……。

座右の銘とか格言っちゅうのは、自分で思ってる分にはええけど、誰かに言う時は注意が必要ですな。「座右の銘は自分宛」っちゅうのが大事な心がまえかも。

11

神よ　変えることのできるものについて、それを変えるだけの勇気をわれらに与えたまえ。変えることのできないものについては、それを受けいれるだけの冷静さを与えたまえ。そして、変えることのできるものと、変えることのできないものとを、識別する知恵を与えたまえ。

※ニーバーの祈り（大木英夫訳）

ニーバーの祈り、あるいは、平静の祈りとして知られる言葉です。さぞかし昔からある言葉なのだろうと思っていましたが、アメリカの神学者ラインホールド・ニーバーが語ったのは一九四三年らしいので、そう古いものではありません。

最初にこの言葉を知ったのは、マイケル・J・フォックスの自伝『ラッキーマン』を読んだ時、と言っても、今ではその名前を知らない人が多いかもしれません。「バック・トゥ・ザ・フューチャー」で大人気を博したカナダ出身の映画俳優であります。

＊　＊　＊

マイケル・J・フォックスは、残念なことに一九九一年、三十歳でパーキンソン病を発症した。病気を隠しながら映画出演を続けていたが、二〇〇〇年にいったん引退。そして二〇〇三年に出版されたのが、『ラッキーマン』である。

「残念なことに」と書いたが、本人はそうは考えていない。「ほんとうに大切なものを、ぼくは病気のおかげで手に入れた。だから、ぼくは自分をラッキーマンだと思うのだ」というのがタイトルの由来なのだから。絶版になっているようだが、素晴らしい一冊だ。

一九九八年、不随意運動を抑えるため深部脳刺激療法の電極埋め込み術を終え、パーキンソン病であることの公表を決意した時のエピソードで、この祈りを毎日のように唱えてきたと明かされる。この三つの能力が備わっていればたしかにオールマイティーである。しかし、それが難しいからこそ、神に祈るということなのだろう。とはいえ、座右の銘に祈りというのは今ひとつしっくりこないかもしれない。私も祈っているわけではないし。

大小さまざまな事柄について、打ち勝つためにがんばるか、あきらめて受け入れるかを決めなければならないことは多い。自慢じゃないが、あきらめのいいほうである。といえば聞こえはいいが、前にも書いたように、投げやりと言ったほうがいいかもしれない。だから、迷った時は困難なほうを選べ、とかいう教訓を聞くと尻込みしてしまう。

だって、いつも困難なほうを選んでたらしんどくてしゃぁないやないですか。かといって必ずたやすいほうを選ぶというわけでもない。困難かどうか、だけではなく、時間と労力がどれくらいかかるか、さらには、どれくらい楽しいかというファクターまで入れて、より「燃費」のいいほうを選ぶことにしている。

基本的にそういう考えなので、どちらかというと、がんばるか受け入れるかを決める閾値《いきち》は低いほう、すなわち、ひょっとしたらできるかもしらんけど、しんどそうやからやめとこう、というほうに流されやすい。そんなだから、この言葉が大事なのである。変えることができないという気がしているけれども、本当は変えることができるのではないか。熟考する時に、ニーバーの祈りを思い浮かべる。

令和三年五月にあった大阪大学の総長選考の候補者となった。最後まで決めかねていたのだが、なんとか大学を変えられないかと思ってのことだった。予想されたこととはいえ、あえなく敗退。もしかすると「変えることができる」かもと思ったけれど、やっぱり「変えることができない」と思い知らされたわけだ。でも、悔やんでいるかというと決してそのようなことはない。ともすれば利益誘導になりがちな「どぶ板活動」などは一切せず、ネットを使った活動はマスコミにも取り上げてもらえたし、小さいながらも一石を投じることができたのではないかと考えている。

ひょっとしたら、「変えることのできるものと、変えることのできないものとを、識別する知恵」がありすぎると、むしろ人生の面白さは減じられてしまうのかもしれませんな。「座右の銘として紹介しといてどっちやねん！」と言われそうですけど。

第二幕　座右の銘すなわち人生

第三幕　座右の銘がとまらない

12

The sun'll come out tomorrow.
Bet your bottom dollar that tomorrow
there'll be sun!

※ミュージカル Annie "Tomorrow" から

　二十過ぎにロンドンで生まれて初めてのミュージカル「Annie」を見て、心底驚きました。世の中にこんなに面白いエンターテイメントがあるのかと。大恐慌時代のニューヨークを舞台にした話です。映画化されているし、翻訳されて日本人キャストで繰り返し上演されてもいるのでご存じの方も多いでしょう。主人公のアニーは孤児院の前に捨てられていた赤毛の女の子で、最後には大富豪の養女になるという夢物語。ストーリー自体は吉本新喜劇みたいなものなのですが、なんせ、感動しました。

　オープニングの序曲、自分を捨てた両親に思いを寄せながらの「Maybe」、そして、毎日のつらさを笑い飛ばすように孤児たちといっしょに掃除をしながら「It's the Hard Knock Life」を踊って歌います。その後にアニーがひとりで歌い出すのが「Tomorrow」で、その冒頭がこのフレーズなのであります。

＊　＊　＊

「明日になったらお日さまが昇る。最後の一ドルを、その太陽の出る明日に賭けよう」といったところだろうか。そして、「明日を考えると気分が晴れて、悲しいことだってなくなっていく。暗くて孤独な日には、顎をあげて微笑んで『明日になればお日さまが昇る。だから、明日までがんばろう』とつぶやくんだ」ときて、「Tomorrow, tomorrow, I love ya, tomorrow」と続く。なんと素晴らしいんだ。

念のために言っておくが、ミュージカルを見て聞き取れたわけではない。そんな高度な英語力があれば苦労はしない。その時は、ぼんやりとこういう意味だろうかと思っただけで、後でちゃんと調べてわかったという次第である。

かの「風と共に去りぬ」のラストシーンで、ヴィヴィアン・リー演ずるスカーレット・オハラがつぶやく「Tomorrow is another day.」も同じような意味だ。映画でその表情を見ると、希望を見いだしながらのセリフだとわかるのだが、言葉だけだと、どうしても「明日は明日の風が吹く」的なニュアンスがある。なので、アニーのほうに軍配。なんといっても節をつけて明るく歌えるのがいい。

自分が楽観的なのか悲観的なのか、どうにもよくわからない。基本的なところでは楽観的だと思うのだけれど、同時にやたらと心配性なのである。それに、その日の気分によっても違うし。これっておかしいんですかね？　ただ、辛辣な名言をたくさん残している『トム・ソーヤーの冒険』の著者マーク・トウェインに「A pessimist is a well-informed optimist.（悲観主義者とは情報を十分に持った楽観主義者である）」という言葉があって、これにはよく当てはまるような気がしている。

同じくマーク・トウェインは「四十八歳より若くて悲観主義であるのは物事を知りすぎで、それを過ぎても楽観主義であるのは物事を知らなすぎである」という言葉も残している。だが、これには異議がある。なんのかんのと心配してきたが、その多くは実際には起こらなかった。だから、むしろ歳をとるにつれて、次第に楽観主義が強くなってきているような気がする。しかし、どうして境目が四十八歳なんやろ。ようわかりません。

もうひとつ、歳をとるにつれて次第にわかってきたのは、自分の力が及ばないことを心配しても時間がとられるし気を病むだけで、なにも意味がないということ。早い話が、心配しても無駄、言い換えると損なのだ。と、理解していても、悲観的になりそうな日もある。

そういった時にこそ、この言葉が役に立つ。明日はきっといい日になると、顎《あご》をあげて笑いながら口ずさめばいい。

英国貴族にして科学ジャーナリストのマット・リドレーによる『繁栄　明日を切り拓くための人類10万年史』（ハヤカワ文庫NF）は一読に値する本だ。人類はさまざまな悲観論を抱いてきたが、そういった悲観的なことは結局起こらず、繁栄してきたではないか、だから「合理的楽観主義」が大事なのである、と説く。

なるほど、そう言われればそうだ。しかし、疑い深い情報過多の楽観主義者としては、歴史的にはそうだったけれど、それが続くとは限らないではないかと、悲観的に考えてしまう。社会だって個人だって同じようなことだろう。

昔、師匠である本庶佑《ほんじょたすく》先生に「仲野君、考えが甘いのと楽観的とは違うんや」とたしなめられて、ムッとしたことがあります。しかし、よく考えるとその線引きはたしかに難しい。甘く考えることなく、時には悲観的、うまくいかない時のことを考えて手を打っておく必要もありますわな。そう考えると、悲観と楽観のバランスは意外と難しい。

とはいえ、とりあえず明日がくるからええということにしておこう、というやや能天気な態度は、毎日を楽しく過ごすためにあらまほしいのではないかと思うのであります。あかんかしらん？

13

夢みて行い、考えて祈る

by 山村雄一（元大阪大学総長）

一九八一年に大阪大学医学部医学科を卒業した時の総長が結核研究で有名な山村雄一先生、いかにも包容力のある先生でした。言ってはなんだが、今の大学にはほとんど見当たらないタイプです。いや、当時でもそうだったかもしれません。

そんな大先生にえらく褒めてもらえたことがあります。研修医のころに宴席でご一緒した時のことです。当時、ビールの大瓶を一気飲みできる、という特技を有しておりました。どういうきっかけだったかは記憶にないのですが、山村先生の前でそれを披露することになりました。当然酔っ払っていたはずです。飲み終えた時、満面の笑みで「君は見どころがある」と激賞していただいて、むちゃくちゃうれしかったのであります。どうでもいい話はこれくらいにして、本題に。

＊　＊　＊

今回紹介するのは、その山村先生が「医学という自ら選んだ仕事を続けてきた経験にもとづいて、自分の一生の仕事を選び、それをやりとげるため自分自身にいいきかせるために作った自作の座右銘」である。いつごろ作られたものかはわからないが、一九八五年の入学宣誓式の告辞で紹介された資料が残っている。

「自らの仕事を決定し、始める動機は夢みることであることがよいというのが私の主張です」と始まり、最後に「夢みることから始めてこそ人生にロマンが生まれ、たとえ失敗しても悔いることはないのです。諸君の幸福で夢多き学生生活を祈ります」と締めくくられている。決して長くない。ゆっくり読んでも十分に満たないものだ。しかし、新入生にどれだけの感銘をあたえたことだろう。かくいう私も、なにか大きなことを決める時には、いつもこの言葉を念頭に置いてきた。山村先生、ありがとうございます。

一生の大事を決めるには、「夢みて行い、考えて祈る」ことが大事だと説く内容だが、なによりもこの順序を間違えてはならないと語りかけられる。まず、夢みて考えすぎることを強く戒めている。考えているうちに、なにもしないで終わってしまうことが多いからというのが理由だ。なので、まったく考えずにというのは無理としても、決して考えすぎずに、まず行動を開始する必要がある。なんとなくわかる。それに、考えてばかりいると、妄想が膨らんで収拾がつかなくなってしまうことだってありそうだ。

当時よりも現在のほうが、この順序はさらに重要性を増している。なにしろ情報がありすぎる、あるいは、情報を得やすくなりすぎている。考えてみようと集めた情報に圧倒されてしまい、ひるんでしまうことが多くなってきてはいまいか。かといって、情報を集めずに判断するのは愚かすぎる。この辺りのバランスがいよいよ難しい世の中だ。

次に、おこなって得た結果について考える。この段階では考え抜くことが重要で、そうすることによって次の夢が湧き出してくることもある。

そして、祈る。祈ったところでなにかが変わるわけではないけれども、祈りたくなるのが人情だ。最後に「祈る」がついているところが、なんともロマンを感じさせてくれる。

もうひとつ、山村先生は、「人生にはどうしても必要なことが三つある。それは夢と、ロマンと、反省だ。人間はこの三つを持っていないとうまくいかない」という言葉も残しておられる。物事を始める時とは違って、進める際には反省も必要だというのがプラグマチックでとてもいい。

今回の銘がどれだけ知られているのかはわからないのだが、ある本で遭遇して驚いたことがある。石川拓治の『三つ星レストランの作り方』（幻冬舎での文庫化にあたり『天才シェフの絶対温度「HAJIME」米田肇の物語』と改題）がその本だ。米田肇《よねだはじめ》がエンジニアとして勤めていた会社を辞めて料理人になると決めた時、父親が「男が一度決めて前に進む限りは、もう後には引けないぞ」と渡した手紙に

「私の大好きな文章です」と断って書いてあったというのだ。なんと素晴らしいエピソードなんだと、この本のことをノンフィクションレビューサイト「HONZ」で紹介した。それがきっかけで米田さんとお知り合いになれたのも、山村先生のおかげである。完全に個人的な話だけど、ありがたいことだ。

「夢みて行い、考えて祈る」で検索すると、告辞全文の載っているサイトがいくつもヒットするので、興味がおありの方はぜひ全文を読んでみてください。

あと三年で七十歳、ことを起こすようなことはもうないだろうけれど、なんでもええから夢を持ったほうがええんかもしれんなぁ。

14

しんどいのは君だけと違うんや

by 心の師匠

憚《はばか》りながら、ずいぶんと若く三十八歳で大阪大学微生物病研究所の教授になって、四十七歳で医学部の教授に異動しました。さぞかし順調だったのだろうと思われるかもしれませんが、主観的にはそうでもありませんでした。

三十三歳でドイツ留学から帰国して本庶佑先生の研究室のスタッフになったのですが、二年以上まったくデータが出ず、もう研究をやめようと何度思ったかわからないほどです。この辺りのことは、臆面もなく拙著『生命科学者たちのむこうみずな日常と華麗なる研究』（河出文庫）に「『超二流』研究者の自叙伝」として書いてありますので、興味がおありの方はご一読ください。

＊　＊　＊

謙遜でもなんでもなく、本当に幸運に恵まれたとしか言いようがない。マウスES細胞（胚性幹細胞）から血液細胞を試験管内で分化誘導するための、画期的とまではいかないが、そこそこ独創的な方法を開発して、サイエンス誌に発表できた。それがなければ、研究をやめてしまっていたに違いない。

データが出ない時は、いい論文を一報書けさえしたら楽になるだろうと思っていた。しかし、その考えは甘かった。そこそこの仕事をしたら、次はそれが評価の新たな基準になるから、一段と厳しくなる。芥川賞や直木賞の受賞後第一作が難しいというのと似ているかもしれない。そんな大層なものとは違うか……。

というような状況の時に、ある大先生とタクシーで二人っきりになる機会があり、「最近がんばっとるやないか」とお褒めいただいた。だが、先に書いたようなストレスに満ちた気分だったので、「楽になるかと思っていましたけど、もっとしんどくなったかもしれません」とお答えした。その時に頂戴したのが、今回の座右の銘である。それに続けて、「みんな言わんだけで、誰だってしんどいんや。私だってしんどいし、本庶先生だってしんどいはずや」とおっしゃった。おぉ、そうなのか。なんだか気分がものすごく楽になった。以来ずっと、その先生は私にとっての「心の師匠」なのである。

独立してからなかなか研究が軌道に乗らなくて、教授になってから三～四年目がいちばんきつかった。そんな時、これこれでしんどいねんけどと弱音を吐いたら、自分もそうだという人が何人もおられて驚いた。みんな似たような時期に教授に着任された先生たちである。考えてみればあたりまえのことなのだが、同じような境遇にいる人は同じような悩みを抱いていることが多い。以来、つらい時や困った時には、できるだけ弱音を吐いて、「弱音仲間」を募るようにしてきた。これは精神衛生上極めてよろしい。

というようなことがあったので、ずいぶんと前から「上手に弱音を吐く運動」というのを積極的に展開したらいいのではないかと真剣に考え続けていた。そして幾年月が経ち、すごい本を手に取った。岸田奈美さんの『もうあかんわ日記』である。

中学生の時に父が他界、弟はダウン症、母は車いす、祖母は認知症。そんな岸田さんが「もうあかんわ」とつぶやかないとやっていけない日常を書き綴った本だ。「人生は、一人で抱え込めば悲劇だが、人に語って笑わせれば喜劇だ」という名言が素晴らしすぎる。むちゃくちゃ面白かったとSNSでつぶやいたら、版元のライツ社から対談しませんかとのオファーがあった。願うところやないの。

大阪の書店でのトークショーは最高に楽しかった。そして、驚くほど元気をもらえた。岸田さんはなぜか信じられないような不運に見まわれたりすることが多い。でも、なんと三十分で五〇〇〇字も打てるという超高速タイピングで発信しながら、明るく生活しておられる。

つらいことを上手に吐露《とろ》すること。そして、そういった内容を、周囲が共感をもって不謹慎ではなく「面白がる」こと。これってとっても大事とちゃうのか。岸田さんみたいに高度な技は難しいかもしれないけれど。

でもホンマに、「多かれ少なかれ、みんなしんどいんや。自分だけと違う」。そう思えるようになっただけで、肩の荷のほとんどを下ろせるような気がしますわ。考えが甘いと思われるかもしらんけど、いっぺんやってみてください。そして、できたら、その輪をどんどん広げてください。間違いなく、みんなの幸福度があがっていきますで。

15

座右の銘はない

by 石毛直道

今回はちゃぶ台返しのような内容にしてみました。どうしてこれを選んだのかをきちんと説明、あるいは言い訳していきます。でないと、これまでのはなんやったんや！　責任者出てこい！　とかいう怒号が聞こえてきそうな気がしますんで。

＊　＊　＊

食べる文化人類学者、石毛直道の本、『座右の銘はない　あそび人学者の自叙伝』（日本経済新聞出版社）のタイトルから頂戴したものだ。なにを隠そう、一九八四年に出版された『ハオチー！　鉄の胃袋中国漫遊』（平凡社）以来、石毛さんのファンなのだ。『日本沈没』の作者である偉大なSF作家、小松左京に「大食軒酩酊」と命名された石毛さんは、なんでも食べることができる「鉄の胃袋」の持ち主である。その石毛さん、ようやく外国人が中国を自由に旅行できるようになった時、真っ先になにを食べに行かれたと思われるだろう。

なんと、中華料理でなく、上海でのフレンチだった。かつて租界があった上海、文化大革命をかいくぐってどんなフランス料理が供されていたか。中国漫遊でありとあらゆる物を食べる予定がある。そんなことをして舌が鈍る前に上海のフレンチを、という発想が素晴らしくてファンになった。もちろん、本の内容も最高に面白かった。

先方は覚えておられないと思うが、二～三度、偶然お目にかかったことがある。大阪ミナミに行きつけの小さな割烹《かっぽう》があって、石毛さんもよくその店に通っておられたからである。初めての時、思わず「こんなおっさんやったんですか」とつぶやいて周囲の顰蹙《ひんしゅく》を買ってしまった。われながら失礼至極だが、ご本人は笑っておられた。じつに楽しい思い出である。その時、私の「ファン度」がいや増したのは言うまでもない。

「座右の銘はない。しいていうなら、座右の銘などもたないということが、わたしの座右の銘である」と、自叙伝に書いてある。さすがだ。「座右の銘をつくってみたところで、それをまもることができない自分であることは、子どもの頃から承知している」と続くのだが、考えてみれば、座右の銘など持たずに生きる人生のほうが望ましいのかもしれない。広辞苑で「座右の銘」をひいてみると「常に身近に備えて戒めとする格言」とある。基本が「戒め」なのだ。座右の銘がない人生とは、自らを戒める必要のない人生ということではないのか。素晴らしすぎる。けれど、凡人には難しすぎる。

ここで中締めとして、これまで紹介してきた座右の銘を振り返ってみよう。ごく主観的に以下の四つに分類できそうだ。まず、開高健の「何かを得れば、何かを失う。そして何ものをも失わずに次のものを手に入れることはできない」に代表される、あきらめるのも大事ですよ系が五回。沢木耕太郎の「世界は『使われなかった人生』であふれてる」のような、人生はそんなもんやで系が四回。前回の「しんどいのは君だけと違うんや」的な、できるだけ明るく生きましょうや系が三回。そして、（たぶん）ルソーの「ついに学ばずして終わるは、学んで忘るに如かず」とかいう、勉強せんとあかんで系が二回である。

ふむ、なるほど。私はきっと、「時に人生を考え、あきらめが大事と思いながら、勉強せんとあかんけど、明るく生きていこうぜ」というように戒めて生きてきたということか。まぁ、なんとなくそんな気がしないでもない。逆に考えてみたら、そういったことを足枷《あしかせ》にして生きてきたということでもある。

これから何年生きていけるかわからない。ガラガラポンというわけにはいかないけれど、これからは、石毛さんみたいに「座右の銘はない」と言い切れるような生き方をめざすのも悪くない。今さらできるかどうかはわかりませんけど。というより、ちょっと無理っぽいな。こんな本を書いたことやし。

第三幕　座右の銘がとまらない

コラム　この本ができるまで

新型コロナウイルスが中国で広がり始めたころ、令和元年の秋の話です。『ドクターズマガジン』という業界誌から、なんでもええから連載エッセイを企画してくれと頼まれました。「丸投げ企画」というやつです。なんで医学部教授にそんな依頼がくるんやと思われるかもしれませんが、たぶん、『こわいもの知らずの病理学講義』（晶文社）のような医学に関係するものだけでなく、『仲野教授の そろそろ大阪の話をしよう』（ちいさいミシマ社）のような仕事とはまったく関係のない本まで、一般向けの本を何冊か出していたからでしょう。

一生懸命に考えました。で、思いついたのは、えらそうにも、自分の座右の銘を紹介しようというものです。毎回、座右の銘をひとつずつと、どうしてそれを座右の銘にしてるのかという解説です。ちょっと考えてみてください。座右の銘というのは、それほどたくさんあったらおかしいでしょう。なので、最初は、「座右の銘は銘々に」というタイトルで六回、月刊誌なので半年の連載として開始しました。

ところが、あまりに好評で、ぜひ続けてほしいということになりました。「好評」というのは自分で勝手に言うてるんじゃなくて、編集部からそう言われたのです、念のため。もちろん、おべんちゃらをかまされたという可能性は否定できません。が、約半年の休載をはさんで「座右の銘は銘々に　リターンズ」としてさらに九回を連載することになったのですから、たぶん真実です。こうして結局、トータルで一五回の連載になりました。さすがにそれ以上は多すぎるやろ、ということで、惜しまれながらも（これはあくまでも主観です）連載は終了させてもらうことにしました。

これまでに二冊の本でお世話になったミシマ社の編集者・野崎敬乃さんに、

大絶賛を受けたこんなおもろい連載をやったんですけど、本になる可能性はありますやろかと、自己肯定感いっぱいのメールを送りました。折り返し、むっちゃおもろいです、ぜひ！　との返事が来ました。しかし、なにぶんにも字数が足りません。今ある量の倍は必要ですということで、書き足すことにあいなりました。

とはいえ、先にいったような理由です。自分の座右の銘はすでにほぼ使い尽くしています。はたと困りました。が、ええことを思いつきました！　世の中にはさまざまな座右の銘があふれています。中には、なんやねんそれは、とツッコミをいれたくなるものもあるはずやないですか。

次はそれや！　ということで、さらなる続編として、「仲野教授の　こんな座右の銘は好かん！」シリーズ計一五回をウェブの「みんなのミシマガジン」に連載することになりました。それも大好評を博すことになったのです。これも自分で言うてるんじゃなくて、ミシマ社からの報告であることを申し添えておきます。

こういった経緯からの本なので、体裁をどうするか、すこし悩ましいところがありました。結局は、相談の上、できるだけ連載時のままでいくことに。大好評（↑しつこい）連載の勢いを維持しようというのがいちばんの理由です。ただ、現役時代に書いた文章などは今となってはそぐわないところもあるので、そういったあたりはちょっと手を加えてあります。

前半の一五回——このコラムまでの一五編——は雑誌連載だったので字数制限があり、およそ一七〇〇字程度です。それに対して後半の一五回はネット連載で字数が自由だったので、だいぶ長めになっています。不釣り合いやないか、と思われるかもしれませんが、前半は褒め称えるための意義説明であるのに対して、後半は、なんやねんこの座右の銘はというツッコミなので、十分に語るにはそれだけの字数が必要だったということもあります。なので、前後半でちょっとテイストも違うかもしれません。まぁ、そこは何卒ご寛恕のほど。

単行本にするにあたり、驚いたことがあります。最初に書いたものは四年以上も前のものですから、すでに記憶の彼方となり、すっかり忘れてしまっていました。そこへ、「通して読んだらめっちゃおもしろかったです！　しかもすごく学びました」という野崎さんのメモのついた初稿が送られてきました。うまいこと言うて、またお世辞をと思いました。自己肯定感は強いけど、疑り深い性格でもあるのです。ところが、読み直してみたら、あら不思議、自分でもまったく同じことを感じてしまいました。

ここまでお読みになられていかがでしたでしょう。きっとあなたも同じ感想を抱かれるはずです。かどうかは保証の限りではありませんが、ご同意いただける方は、そのままお読み続けください。そうでもない方は、ここからはむっちゃおもろくなるはずと気を取り直して、あるいは、自らをそう思い込ませて読み進めてください。

第四幕　こんな座右の銘は好かん！

16

若い時の苦労は買ってでもせよ

ご購入、誠にありがとうございます。
ご感想、ご意見をお聞かせ下さい。

①この本の書名

②この本をお求めになった書店

③この本をお知りになったきっかけ

④ご感想をどうぞ

＊お客様のお声は、新聞、雑誌広告、HPで匿名にて掲載させていただくことがございます。ご了承ください。

⑤ミシマ社への一言

恐れ入ります
切手を
お貼り下さい

〒 郵便はがき

〒602-0861

京都市上京区新烏丸頭町
164-3
株式会社ミシマ社京都オフィス
編集部行

フリガナ

お名前　　　　　　　　歳

〒

ご住所

　　（　　　）

ご職業

メルマガ登録ご希望の方は是非お書き下さい。

E-mail

★ご記入いただいた個人情報は、今後の出版企画の参考として以外は利用致しません。

この本の成り立ちがわかっていただいたところで後半に突入であります。中締めコラムに書いたように、ここからは、こんなんを座右の銘にしたらあかんのとちゃいますやろか、というようなものを取り上げていきます。

まず俎上《そじょう》にあげるのは「若い時の苦労は買ってでもせよ」であります。あきませんやろ、これは……。

＊　＊　＊

苦労をして偉くなった人が往々にして言いがちなことだ。もちろん、艱難辛《かんなんしん》苦《く》を乗り越えて事を為すというのは立派なことであるし、苦労が素晴らしい人間を作り上げるケースがあるということを否定はしない。しかし、それはあくまでも苦労を経て最終的に成功した人が体験を押しつけているにすぎないのではないか。

ちょっと偉そうだが、科学的に考えることの基本は、あることをごちゃっとしたままで考えるのではなく、要素、エレメントに分けて考えることにある。

ここでは、昔、数学で習った（はずの）必要条件と十分条件に分けて考えてみよう。まずは必要条件から。

成功するためには努力が必要かどうか、という命題だ。う〜ん、どうだろう。ある程度は努力が必要な気はする。しかし、必ずしもそうとは言い切れまい。傍から見ていて、さして努力をしているようではないのに、うまくいっている輩がときどきいる。えらくうらやましいが、他人事ではない。私だってそう思われている節がなくはない。昔、内田樹先生に「仲野さんは人生を嘗《な》めてますからね」と言われて、愕然《がくぜん》としたことがある。すごくとまでは言わないが、自分ではそこそこ苦労をしてきたと思っていて、人生を嘗めているなどとはとんでもない（←あくまでも主観です）。それとは逆に、本人は楽しくてまったく苦労などと感じていないのに、周囲からは、あいつは苦労人だと褒めてもらえる人もいる。

というわけで、必要条件は、せいぜい半分正しいといったところだろう。次は十分条件、苦労をすれば成功するかどうか。これは必要条件以上に正しくなさそうである。世の中、苦労したって、その努力が水泡《すいほう》に帰すようなことなどごまんとあるではないか。

必要条件はせいぜい半分、十分条件はそれ以下の正しさでしかない。にもかかわらず、やたらと「若い時の苦労は買ってでもせよ」などとご託を並べるのはいかがなものか。たいした理由もなく、若者に仕事などをさせるための詐術ではないか。それどころか、いきすぎたらパワハラで訴えられかねませんで、いまどきは。言うとしても、せいぜい「若い時の苦労は買ってでもしたほうがええんと違いますでしょうか」どまりにしておかねばなるまい。

さらに気になることがある。なにをもって成功した人というかは難しいところがあるけれど、苦労して成功した人より、苦労していじけてしまう人のほうが多いのではないか、ということだ。前者の話は盛り上がるので、あちこちでよく取り上げられがちだ。逆に、後者のような人の話は、残念ながら世間に知られることはすくない。こういった世の中のバランスはしっかりと頭に入れておくべきだ。

話を変えて、ここでちょっとした経験談をば。自分としては、三十代の半ば、ノーベル賞の本庶佑先生の研究室にいたころ、ずいぶんと苦労したと思っている。第三幕でも紹介したが、その時代の苦労話は、『なかのとおるの生命科学者の伝記を読む』（学研メディカル秀潤社）を『生命科学者たちのむこうみずな日常と華麗なる研究』として河出書房新社から文庫化する時に、「『超二流』研究者の自叙伝」と題して、つい調子に乗って書いてしもうた。じつは、「苦労を売り物にするのは人間のカス」という考えを持っている。にもかかわらず、である。そうなんです、自己定義的には、ナカノは人間のカス、ということなんですわ。面目ないけど、まぁ、その程度の人間の話やということで、まけといてください。

問題は、すくなくとも主観的には経験したと思っている苦労が役に立ったかどうかである。この判断は相当に難しい。正直なところ、あんなに苦しい時期を経ずに業績が出て教授になれていたら、それに越したことはなかったと思う。なにしろ、ほとんど鬱《うつ》状態に近かったのだから。しかし、その時の苦労があったので、教授になってから少々つらいことがあっても、あのころに比べたら屁でもないわと、すぐに精神の平穏を取り戻すことができた。これは大きなメリットだった。

ここまで読んで、おい、どっちやねん！　と思われているかもしれない。たしかにそうかも……。というような中途半端では終われないので、以下、まとめ。

「若い時の苦労は買ってでもせよ」は、ある程度は真実であるけれど、真に受けすぎるのはいかがなものか。すくなくとも、買ってまでするようなものではない。しかし、望むと望まざるとにかかわらず、よほどの幸運に恵まれない限り、苦労が降りかかってくることは必ずある。その時には、苦労に飲み込まれてしまわないように、これは苦労のように見えるが苦労ではない、と、できるだけ思い込むことがあらまほしい。そして、たとえ苦労が徒労に終わっても、報われなかったけれど必ずいつか役に立つ日が来ると信じて、いじけてしまったりしないこと。それが肝要。

ラスト、今回の結論でございます。「若い時の苦労は買ってでもせよ」ではなくて、「降りかかってきた若い時の苦労はなんとかしのいだらそのうちたぶん役に立つ」程度の態度が正しいんとちゃいますか。

第四幕　こんな座右の銘は好かん！

17

努力は人を裏切らない

今回は「努力は人を裏切らない」です。一見正しそうに思えますけど、これはおかしい。まず、自発的に使うのは勝手ですが、指導者がこの言葉を使うとはんでもないことになりかねません。それに、もしこの言葉が厳密な意味で正しければ、ほとんどの人が困るのではなかろうかとまで思うのであります。そういった意味では、反社会的とまで言えるような気さえします。

＊　＊　＊

「努力は人を裏切らない」、前回の「若い時の苦労は買ってでもせよ」とすこし似ている。しかし、苦労と努力には大きな隔たりがある。広辞苑第七版を見れば、「苦労＝苦しみ疲れること。骨を折ること」に対して「努力＝目標実現のため、心身を労してつとめること。ほねをおること」とある。広辞苑さまともあろうものが「骨を折ること」と「ほねをおること」を統一しておられないのがちょいと気になるが、まぁおいておこう。なにが違うかというと、まず、努力は「目標実現のため」であって、自発的な意味合いが強い。それに、苦労は基本的につらいけれど、努力は必ずしもつらくない。それどころか、むしろ楽しいことさえある。そのせいだろう、苦労人というと哀れなイメージがつきまとうが、努力家というとなんとなく筋骨隆々な感じがする。え、しませんか？

努力は報われてほしい。私だって人の子だ、切にそう願う。それに、おおむねではあるが、努力と成功というのは相関関係がありそうだ。しかし、中にはほとんど努力せずに楽しく生きていけている人もいる。ごく身近にも棲息しているのだが、その人の座右の銘は驚いたことに「不戦勝」だ。まぁ、何事にも奇跡的な例外はある。

逆に、努力しても報われなかった人というのは、座右の銘が不戦勝であるような人より、はるかに多そうだ。長年、生命科学の研究に携わっていたが、すごく努力しても報われることのなかった人をかなり見てきた。そういう研究者は大きく二つに分けることができる。

まずは、誤った仮説に基づいて研究を進めていた場合である。研究には、うまくいかないかもしれないけれど当たったら大きいというもの、いわばギャンブル性の高いものがある。もちろん論理的に破綻《はたん》していてはお話にならないが、論理的に正しそうな仮説であっても、結果として間違えていたという場合は十分にありえる。これだけはやってみないとわからないからタチが悪い。ダメだったらそれまでの努力が無駄になるが、こういった「大振り」研究も必要なのだ。冷たいようだが、いたしかたなし、といったところである。

もうひとつは、競争に負けてしまう場合である。研究は競争ではないとよく言われる。たしかにそうあってほしいが、それはきれい事にすぎない。現実問題として、潜在的には競争である。どんなに立派な研究であっても、同じような成果がライバルから先に出されてしまえばそれでおしまい。二番煎じに甘んじなければならない。これは気の毒すぎるが、往々にして起こることだ。かように、努力が裏切られることだってままあるのだ。

往年のマラソンランナー・瀬古利彦《せことしひこ》を育てたことで知られる陸上コーチ・中村清《きよし》の言葉に「天才は有限、努力は無限」というものがある。まず前半のフレーズ、「天才は有限」というのは評価が難しい。だって、明らかな天才に会ったことないからわからへん。では、「努力は無限」はどうだろう。無理ちゃうんか……。ケチをつけるわけではないが、時間とか体力とか気力とか、努力にリミットをかけるファクターはたくさんある。それ以前に、努力できるかどうかだって才能ではないか。天才が有限ならば、もちろん才能だって有限だろう。そう考えたら、「天才は有限、努力は無限」というのは論理的に矛盾しているのではないか。

「努力は無限」という言葉で思い出すのは、偉大なる分子生物学者だった故・沼正作《ぬましょうさく》先生である。本庶佑先生の研究室に在籍していたころ、同じ建物で隣の教室だった。私などは部外者だったから叱られたことはないが、むちゃくちゃに厳しくて恐ろしい先生だった。なんせ、壁を隔てた向こう側で怒っておられる声を聞いて、あまりの怖さに、思わず持っている物を落とした人がいたくらいだ。今なら、パワハラとかアカハラで一週間に一回は訴えられておられたかもしれない。その沼先生が、この言葉をよくおっしゃっておられた。

とある大先生が若かりしころ、沼先生に「あなたに熱意を感じない!! 以前から、あなたは、時々土、日曜日にｌａｂ《ラボ》に来ていないことに気づいていましたが、研究に対する努力は無限ですよ!!」と厳重注意されたという証言を残されている。ちなみにｌａｂとは研究室のことだ。このことからわかるように、沼研究室は完全に週休ゼロ日制で、みなさん週に百時間は働いておられた。本庶研も厳しかったけれど、お隣に比べるとずいぶんましだというのがわれら本庶研所属者たちの慰《なぐさ》めだった。って、慰めてもしゃぁなかったけど。

三十年も前の話なので、土曜日は半ドンの時代だ。半ドン、もう死語ですかね。午後が休みの日のことです、念のため。あくまでも世間では、ということだが、そのころに沼先生がおっしゃった言葉で脳裏に刻み込まれているものがある。それは「週に七日働いたら、他の人が七年かかるところを六年でできますわ」というものだ。素直に感動した。シンプルで正しすぎるだけに、こういった理論（？）で努力を強いられたら反論することは難しい。沼研究室におられた先生方の多くは立派な教授になっておられるが、中にはうまくいかなかった人もいる。壮絶な努力ですら裏切られることもありえるのだ。

さて、締めに入っていく。あなたは、努力が必ず報われる世界に生きてみたいだろうか。私は絶対にノーである。考えてみてほしい、仮想的な「努力は裏切らない」すなわち「努力が必ず報われる」世界を。そこでは、努力した者が間違いなく成功者になる。そうなると、やたら努力好き、あるいは、好きでなくても努力する人が多くなりはしないか。私だってそれなりに努力はしてきたつもりだが、決して努力好きではない。努力比べをするなんてたまらんわ、イヤや。

とどのつまり、世の中は、運の要素があるからやっていけるのではないだろうか。努力と成功には相関関係、いや、より厳密には因果関係があってほしい。しかし、がんじがらめだと息苦しすぎる。だから、「努力は人を裏切らない」などというのはいささかの虚偽があって、「努力はおおよそ人を裏切らない」とか、「努力はできるだけ裏切らないでほしい」というあたりが正しいのではないか。

どないです？　誤解なきように言うときますが、努力に意味がないとはまったく思っとりません。でも、報われると思いすぎないことが大事とちゃいますやろかということです。怠け者だからそういうことを思うのだというお叱りを受けるやもしれまへんけど、そんな態度はハラスメントにつながりかねませんで。

18

石の上にも三年

こんな座右の銘いらんやろ、というお題で書いていますけど、必ずしもその言葉を全否定するというわけではありません。そらそうですわな、ある言葉を座右の銘にする人がいるということは、なんらかの真実（らしきもの）を含んでいるはずですから。

ただ、座右の銘というのは、多くの場合、短いセンテンスです。刈り込まれすぎているがために、意味がわかりにくくなることがありそうです。断定的になりすぎているというきらいもあります。それに、多くは昔から語り継がれている言葉ですから、時代にそぐわなくなっている場合も。で、今回はその三拍子がそろっているのではないかという格言、石の上にも三年、であります。これはもう、ほとんど全否定したい。

＊　＊　＊

自慢じゃないが飽きっぽい性格である。そういうと聞こえが悪いが、自己肯定感が強いので、あっさりしている、あるいは、判断が速い、という言い方もできるのではないかと密《ひそ》かに思っている。密かにといいながら、書いてしもてるけど……。なので、石の上にも三年とか聞くと、イヤミを言われているのかという気がすることとすらある。だから、そもそも気に入らん。

石の上にも三年、というのは、てっきり達磨《だるま》大師の故事に由来するものだと思い込んでいた。「面壁《めんぺき》九年」というやつである。新明解四字熟語辞典には「中国南北朝時代、達磨大師が中国の嵩山《すうざん》の少林寺に籠《こも》り、九年もの長い間壁に向かって座禅を組み続け、ついに悟りを開いたという故事から」と書かれている。考えてみたらおかしい。石の上じゃなくて壁に向かってだし、三年でなくて九年だ。

そうではなくて、もっと昔、二千年ほど前に、インドのバリシバ尊者が八十歳で出家し、三年もの間、石の上で座禅し続けて悟りを開いたという故事によるという説もある。その間、横になって眠ることもなかったというのだから、意志も強いけど、きっと体も強い人やったんでしょうな。細かいことはさておき、どちらにも共通しているのは、長い年月をかけて悟りの境地に至った、ということである。まぁ、そういうこともありえるのだろうとは思う。

なにを隠そう、私は悟りを開いた経験がある。もう四十年ほども前、加賀の白山でのことだ。山で修行を積んだ、というわけではない。友人の運転する車で登山に行ったのだが、その帰りに山道でスリップして、二メートルくらいの崖を転落したのだ。いかなる力学が働いたのかわからないが、天井を下にしての着地であった。

その時、本当に景色がスローモーションのように見えた。うわっ死ぬかも、と思ったけれど、過去の思い出が走馬灯のように巡るようなことはなかった。だからきっと死なないんやわ、とつまらんことを考えていた。ほんの短い間に、である。こういった時は、脳が異常なまでに機能するんでしょうな。頑強な四駆車だったこともあって、幸いなことに怪我はなかった。

当時は若かったし、やたらと厳しい大学教員だった。しょっちゅう怒りながら指導していた。今なら間違いなくアカハラでアウトである。ところが、この事故の後、大学院生がどんな失敗をしても、まったく腹が立たなくなった。悟りだ。そうに違いない。周りの人たちに、どうやら悟ったようで、心が平穏で澄み切っていて、なにも腹が立たなくなったと話していた。

すると、生意気な若者が、そんな数秒で開いた悟りは、きっとすぐに解けるはずだと言う。それ以前の私なら、そんなことあるかアホボケカス！　と叱り飛ばしていたところだが、なにしろ悟っていたので、怒りの気持ちなどまったく湧いてこない。ふぉっふぉっふぉっ、だから悟りを開いたことのない者は困るのぉ、とか鷹揚《おうよう》に構えていた。が、正しいのはその若者だった。一週間も経たぬうちに元に戻ってしもうた。

なにが言いたいかというと、人間は悟りを開くことができるが、その境地に至るには、どれくらい時間がかかるかというのは、前もってわからないのではないか、ということである。さらにいうと、何年経ってもあかん場合だってあるはずだ。実際、バリシバ尊者は三年、達磨大師は九年かかったのだ。もしバリシバ尊者がいなかったら、石の上にも三年ではなくて、壁の前でも九年とかいう信じられない格言ができていたかもしれない。ここはバリシバ尊者に感謝の意を表したい。とはいえ、三年でも長すぎるのではないか。

三年というのは、あくまでもある程度以上の長い期間を示すものであって、具体的な年月をさすのではないという解釈もあるだろう。しかし、こういう言葉というのは、けっこうな拘束力を持ってしまう。まぁちょっと君、三年はがんばってくれたまえ、とか簡単に言いたくなるおっさんがあちこちにいてそうやないですか。

バリシバ尊者や達磨大師のころとは時代が違う。ものごとの進むスピードが速くなっている。どんな我慢かにもよるが、今ならせいぜい一年、いや三カ月くらいではないか。それ以前に、どの職場でもストレスチェックが義務づけられている時代、いつになったら成功するかわからないのに、やたらと我慢すること自体がおかしいんとちゃうんか。そんなことするくらいなら、我慢などせずに済む方法を見つけるべきだ。

江戸時代に博多で活躍した禅僧、仙厓義梵《せんがいぎぼん》をご存じだろうか。たくさんの面白い禅画を残しているのだが、そのうちの一枚に、禅僧としてはあるまじきことに達磨大師を皮肉ったものがある。仙厓ファンなのだが、特に好きな一枚だ。ちょっと人を小馬鹿にしたような感じのニヤッと笑い顔をしたカエルの座った絵である。

これだけならなんのことかわからないが、そこに「座禅して人が仏になるならば（坐禅して人か佛かになるならハ）」という賛《さん》が添えてある。秀逸ではないか。禅画なのでいろいろな解釈が可能だろうけれど、しょうもない無駄な努力など無意味だと教えているようにしか思えない。

石の上にも三年、どう考えてもあきませんやろ。がんばるにしても、もっと楽に、石の上より畳の上、とか、石の上より布団の上、とかいう精神があらまほしいんとちゃいますかね。きっと仙厓和尚だって同じ意見やったに違いありませんで。よう知らんけど。

19

成らぬ堪忍するが堪忍

「若い時の苦労は買ってでもせよ」「努力は人を裏切らない」「石の上にも三年」と、これまでの三つを並べてみますと、ナカノは苦労とか努力とか我慢とかが嫌いな奴なのだろうと思われているかもしれません。たしかにそんな気がする……。

でも、苦労、努力、我慢を好きな人っていてますやろか。それってマゾですやん。それに、この三つのおかげで今の自分があるとか豪語するようなおっちゃんが近くにいてたらイヤなことないですか？　説教くさすぎて。三つとも嫌いですねん、という私のようなおっちゃんのほうがなんとなく親近感を持てませんかね。

それはいいとして、今回取り上げたいのは、「成らぬ堪忍《かんにん》するが堪忍」であります。苦労、努力、我慢だけでなく、ナカノは堪忍も嫌いなのかと思われるかもしれませんが、決してそんなことはありません。生来のじゃまくさがりなので、そこそこ腹が立つことや鬱陶《うっとう》しいなぁというようなことに遭遇しても、関わるのが面倒なのでまぁまけといたるわと堪忍してやることが多いくらいですから。ということで、始めます。

＊　＊　＊

「成らぬ堪忍するが堪忍」、なんとなく説得感がある言葉だ。しかし、これは論理的に破綻していないか。成らぬ堪忍は成らぬのであるから、そんな堪忍などできないに決まっている。以上、終わり。でもいいのだが、さすがに短すぎるな。

原典は明の時代の『読書録』で、「忍ぶ能《あた》はざるところを忍び、容るる能はざるところを容るる。ただ識量人に過ぐる者これを能《よ》くす」とある。識量というのは聞き慣れない言葉だが、見識と度量を意味するらしいから、その二つをあわせ持つ人にはできるということだろう。でも、それって、ちゃうちゃうちゃうんちゃう？　元へ、それって、ちょっとちゃうんちゃう？

見識と度量がある人は、むしろ成らぬ堪忍をするような人であってはいかんのではないか。もちろん、ちょっとしたことを堪忍できずにすぐ切れるようでは問題外だ。けれど、ここぞというところでは、堪忍袋の緒を切って、とてつもないエネルギーで相手を構わず立ち向かう必要があるのではないか。遠山の金さんみたいに。って、これもちょっとちゃうかもしらんが。

科学者としてトレーニングを受けたせいか、物事を考える時に、両極端を考えてみる癖が身についている。常に有用というわけではないが、物事の本筋がスッキリと見通せることがあってけっこう便利である。まずは片方の極、誰も堪忍しない世の中を考えてみよう。これはあかん。ちょっとしたことでトラブルを引き起こされまくって、ギスギスしすぎてしまう。だからこそ、成らぬ堪忍云々かんぬんという言葉が好まれるのだろう。

もう一方の極、みんなが堪忍ばかりする世の中はどうだ。これはもっとあかんやろ。善人ばかりなら問題はないが、世の中はそうではない。なのに、みんなが堪忍しまくったら、ルールから逸脱していい目を見ようとする輩がいっぱい出てきて、混乱の極致にいたるはずだ。

何事も、過ぎたるは及ばざるが如し。極端はよろしくないのである。まぁ、元のフレーズが論理破綻してるから、それもいたしかたなしかも。とはいえ、たとえ論理破綻している言葉でも、大きな成功をもたらすことだってあるのが世の中の恐ろしいところだ。

五年間ほどお仕えした師匠・本庶佑先生が研究についてよくおっしゃっていたのが「不可能を可能にしたいんや」という言葉だった。不可能なことは不可能なんやから、可能にはならんがな。論理破綻やんかとかぶつぶつ思いながら、この言葉を聞くたびにいつも、それこそ堪忍してくれよと思っていた。申し訳ございません、若気の至りでございました。ご存じのように、不可能ではないかと思われていた、がんの免疫療法を実用化につなげられ、ノーベル賞に輝かれたのでございますから。

ただ、科学に断定は似合わない。僭越ながらこれは、もともとの言い方が正しくなかったのではないか。「不可能を可能にしたい」ではなくて、「今のところ不可能であると考えている人が大多数であることを可能にしたい」とかが妥当なところだろう。「成らぬ堪忍するが堪忍」も「ふつうに考えたら成らぬ堪忍するが堪忍」が正しいのかもしれない。しかし、まどろっこしくてそんな言い方はしませんわな。

成らぬ、という言い回しが大仰であるところもミソのような気がする。「できない堪忍するが堪忍」では迫力に欠けて弱っちい。「ならぬ」と聞くと、どうしても思い出してしまうのが会津藩の「什《じゅう》の掟」のラストフレーズ、「ならぬことはならぬものです」である。会津藩では六歳から九歳の藩士の子どもが一〇人前後で「什」という集まりを作っていて、そこでの教えが什の掟だ。

一、年長者《としうえのひと》の言ふことに背いてはなりませぬ

一、年長者にはお辞儀をしなければなりませぬ
一、嘘言《うそ》を言ふことはなりませぬ
一、卑怯な振舞をしてはなりませぬ
一、弱い者をいぢめてはなりませぬ
一、戸外で物を食べてはなりませぬ
一、戸外で婦人《おんな》と言葉を交へてはなりませぬ
ならぬことはならぬものです

なんだかすごい。「なりませぬ」と禁止事項がずらずらと並べられて、トドメに「ならぬことはならぬ」と問答無用で息がつまりそうだ。しかし、一方で、このような理不尽ともいえる教えが、明治になって二人の大偉人を生み出したのではないか。いずれもそれほど有名ではないが、東大総長を務めた山川健次郎と、清朝末期に起きた義和団の乱での籠城《ろうじょう》戦「北京の55日」を実質的に

取り仕切った陸軍軍人・柴五郎である。

ほぼ同世代の二人だが、戊辰戦争を生きのびた後、明治になって朝敵出身だったゆえ苦労に苦労を重ねるが、その高い能力と精神性をもって栄達する。なにより特筆すべきは、ともに「清廉潔白」を絵に描いたような人だったことだ。興味のある人は、それぞれ、『星座の人　山川健次郎　白虎隊士から東大総長になった男』（ぱるす出版）と『ある明治人の記録　会津人柴五郎の遺書』（中公新書）をお読みいただきたい。

こう考えたら、論理破綻してるようなとんでもない押しつけであっても、役に立つ人には役に立つっちゅうことですかね。気に入らん座右の銘を堪忍しといたろ、という懐《ふところ》の広いエッセイも「成らぬ堪忍するが堪忍」といえるかも。それでも「成らぬ堪忍するが堪忍」は言いすぎですわな。普段使いとしては「場合によってはもうちょっと堪忍してみましょう」くらいで十分かと。

20

為せば成る　為さねば成らぬ　何事も

成らぬは人の　為さぬなりけり

「こんな座右の銘いらんやろ」と、毎月書いていると、なんか因縁をつける性格の悪いおっさんみたいな気がしてきます。ホンマは、ええとまでは言いませんが、ふつうのおっさんです。で、今回は、正しいといえば正しいけど、言うてもええ人が極めて限られる格言を。それは「為せば成る　為さねば成らぬ　何事も　成らぬは人の　為さぬなりけり」であります。

＊　＊　＊

まず響きがよろし。五七五七七の三一文字、短歌になっておる。その上「為す」と「成る」が繰り返され、「な」音が八つもあってとてもリズミカルだ。そんなこんなで、つい口にしたくなってしまう。平たくいえば、「何事もやればできるが、やらなければできない。できないのはやらないからだ」といったところだろう。正しそうに聞こえるが、よく考えてみると、ちょいといかがなものかという気がしてこないだろうか。

「為さねば成らぬ何事も」はよろしい。やらなければなにもたいしたことができないのは当然だ。研究生活を長く送っていると、さすがにいろいろなことがわかってくる。考えついたことのひとつに、仲野の第一法則と名付けているものがある。それは「研究はやらなければ進まない」というものだ。そんなことあたりまえやないか、えらそうに法則とか言うな！　とお叱りを受けるかもしれぬが、ちょっと説明を聞いてもらいたい。

研究というのは必ずしもうまくいくわけではない。それどころか、うまくいくような研究、予定調和の研究ばかりしてたら進歩がないからあかんのである。だから、まともな研究であれば、うまくいかなかった時のためにプランBを常に考えながら進めていく必要がある。しかし、多くの初心者はうまくいかなかった時のことを考えたら縁起が悪いとかいうアホな思想の持ち主であるからして、それができない。こういう輩は、うまくいかなかった時点で手を動かせなくなって完全に立ち往生、時間を無為に過ごすことになってしまう。そういった時が第一法則を用いた指導の出番である。

「研究はやれば進む」のではなくて「研究はやらなければ進まない」というのがミソだ。同じように聞こえるかもしれないが、まったく違う。先に書いたように、研究はやったからといって必ずしも成果があがるわけではない。それどころか、下手をすれば後退することすらある。それに対して、やらなければ進まないというのは絶対的な真実である。

そう、これと同じことで「為せば成る」は必ずしも正しくはないのである。それは、為し方が悪かったのかもしれないし、運が悪かったのかもしれない。いずれにせよ、為したからといって成ると考えるのは間違うておるのじゃ。おわかりいただけたでござろうか。ここまでが上の句の解説。

で、下の句「成らぬは人の為さぬなりけり」はどうか。「なりけり」と強調してあるところと、「人の」という言葉が入っているあたりが違うけれど、「為さねば成らぬ」と同じような意味だ。上の句だけで終わっていてもいいようなものだが、やはり下の句があったほうがインパクトが強い。

ここまで書いて、ふと気になったことが。「何事も」というのは、「為せば成る為さねば成らぬ」にかかるのか、「成らぬは人の為さぬなりけり」にかかるのか。上の句の最後にあるのだから前者みたいな気はするが、必ずしもそうではないんとちゃうやろうか。短歌では句の切れ目が必ずしも意味の切れ目と一致するとは限らないんやから。何事も「為せば成る」はちょっと無理っぽいから、意味的には下の句にかかったほうが妥当でしょうな。


難癖をつけているようだけれど、この言葉を発した人に思いを馳せると、そんなこと言うたらあかんのとちゃうかという気がしてくる。この言葉は出所が非常にハッキリしていて、江戸時代における名君中の名君、米沢藩主であった上杉鷹山《ようざん》によるものだ。

鷹山といえば飢饉《ききん》、飢饉といえば鷹山である。凶作に備えての穀物や金銭の蓄え、さらに、飢饉においては大量の米の買い付けにより、天明の大飢饉を一人の餓死者を出すこともなく乗り切った。さらには将来のための制度設計をおこない、それが半世紀後の天保の大飢饉でも民を救うことになった。
幼いころから英才教育を受け十七歳という若さで困窮極まる米沢藩の藩主となった鷹山は、決意の誓詞を神社に奉納している。

❖民の父母の心構えを第一とすること
❖学問・武術を怠らないこと
❖質素・倹約を忘れぬこと
❖賞罰は正しくおこなうこと

この四つを自ら実行し、藩の財政を立て直したのみでなく、飢饉をもしのいだのだ。あらためて岩波新書の『上杉鷹山』と藤沢周平の小説『漆の実のみのる国』（文春文庫）を読んでみたが、いやはやもう、その意志といいおこないといい、立派としかいいようがない殿様だ。

こういう人が自らを振り返り、「為せば成る 為さねば成らぬ 何事も 成らぬは人の 為さぬなりけり」と独りごちたりするのはとてもよろし。納得だ。毎晩何百回と唱えてもよろし。ふつうならできそうもないことを成し遂げた松下幸之助しかり、稲盛和夫しかりである。しかし、心構えとしては悪くないけれど、何事も為しも成させもせぬ人がこういう言葉を軽々に発するのはあかんのとちゃうのか。それに、なにかを成した人を褒めるために言うのはいいとして、人になにかをさせるための説得にこういうフレーズを用いたりするのはもってのほかやろ。これもまた、パワハラ認定になりかねませんで。

「為せば成る 為さねば成らぬ 成る業を 成らぬと捨つる 人のはかなさ」

なんやそれは、あんたのパロディーか、と思われた方、間違いです。こんな気の利いたこと思いつくほどの能力はございません。なんと、上杉鷹山より二〇〇年以上も前に生きた武田信玄の言葉なのである。直接ではないが、上杉鷹山は信玄のライバル上杉謙信の子孫筋にあたる。はたして、信玄のこの言葉を知っていたのだろうか。

「成らぬは人の……」よりも「成らぬと捨つる人の……」のほうが哀愁を帯びていてええような気がするのだが、いかがだろう。これなら、溜め息まじりに部下に言ったところでパワハラとかにはならないだろうし。

ということで、今回の座右の銘は、語る人を選ぶ座右の銘でありました。凡人的には「為せば成る？　為さねば成らぬ　何事も　成らぬは人の　為さぬためかも」くらいですかね。

第五幕　座右の銘をお寄せください

21

急がば回れ

ここまで五回続けて、しっかりがんばれよ系の言葉に文句を言うてきました。さすがに飽きてきたし、そろそろ種切れなんで、違う方向性でいきます。で、今回は「急がば回れ」。これは、急いでる時はくるくる回ればよい、という意味ではありません。って、あたりまえですわな。そんなことしたら、それこそ忙しさに目が回ってしまうだけですやん。いうまでもなく、急ぐ時こそゆっくりと着実に、っちゅうことです。

＊　＊　＊

「急がば回れ」、一般的に使われる慣用句だが、その語源は、ある特定の場所に由来する。テレビで紹介されたりすることがよくあるのでご存じの方が多いかもしれないが、近江国は琵琶湖の発祥である。室町時代の連歌師・宗長《そうちょう》が詠んだという「もののふの矢橋の船は速けれど 急がば回れ 瀬田の長橋」という短歌が起源であるとされている。ふむ、それならわからないでもない。

矢橋は「やはし」ではなく「やばせ」と読んで、現在も滋賀県草津市にある地名だ。琵琶湖の東岸からちょいと入りくんだ所にあるが、湖まで水路が通じていて、かつては湖上水運の港であった。「瀬田の長橋」は古い名称で、現在は「瀬田の唐橋《からはし》」と呼ばれ、近江八景にも名をつらねる名橋だ。琵琶湖に流入する川は多々あれど、出てゆく川はただひとつ。琵琶湖の南端に源を発し下流で淀川となる瀬田川だけなのだが、そこに架かる橋である。

武士が近江から京へと上る時、矢橋から船で行ったほうが早いけれど、急ぎの時は陸路をとって瀬田の橋へと回ったほうがよろし、という意味だ。歌にはでてこないけれど、船の行き先は矢橋からほぼ真西にある大津である。瀬田の唐橋は、その航路の四〜五キロメートル南に位置するので、陸路だとだいぶ大回りになる。速いだけでなく、お金さえ払えば、座ったままで行けるのだから水路をとりたくなるのが人情だろう。

なのに、急ぐ時はやめておけという。それには相応の理由がある。比叡おろし——「おろし」は漢字で颪。ちまちました字で見にくいが、「下」に「風」で吹き下ろす風、♪六甲颪に颯爽と、の颪だ——が吹くと、船が遅れたり転覆したりする危険があるのでやめといたほうがよろしいで、という戒めである。さらに、清水克行さんの『室町は今日もハードボイルド　日本中世のアナーキーな世界』（新潮社）によると、琵琶湖では海賊ならぬ湖賊が出没したらしいし。

たしかに一理ある。しかし、それやったら、急がん時でも回ったほうがええんとちゃうんか。それに、比叡おろしって毎日吹くもんでもなかろうが。比叡おろしが吹く季節って限られてるんとちゃうんか。調べてもようわからんかったが、岸田敏志の「比叡おろし」というほとんど知られていない曲の歌詞には、「恋を求めて比叡おろしの頃」とあって「もうじき春ですね」と受けてある。さらには、比叡山のすぐ北に位置する比良山からの比良おろしは三月から四月に頻度が高いとあるから、比叡おろしもきっと同じような季節だろう。

宗長、ひょっとすると、悪い季節に悪いタイミングで船に乗ってしもて約束の時間に着けずに後悔したことがあったんかもしれませんな。それでこんな歌を作ったんかも。それはええとしても、このような特定の場所における特殊な状況を一般化したことわざってどうよ。論点のすり替え、拡大解釈、牽強付会《けんきょうふかい》、いろんな言葉が頭に浮かぶ。

とはいうものの、同じような意味の「急《せ》いては事をし損じる」もよく耳にする。たしかに、気がせくと失敗することが多いのは間違いない。そういえば、子どものころ「慌てる乞食《こじき》はもらいが少ない」ってよう怒られたなぁ。どんだけ意地汚い子やったんや。「短気は損気」とかいう戒めもあるのだから、あまり急いではいけないというのは、ある程度の普遍性を持っていると考えるのが妥当なのだろう。かといって、常に悠長に構えてたらええっちゅうもんでもないやろ。

それが証拠に、「先んずれば人を制す」という言葉もあるではないか。これは『史記・項羽本紀』にある言葉で、「後《おく》るれば即ち人の制せらるる所と為る」

と続く。「急がば回れ」と真逆やん。「先手必勝」とかもあるし。こう考えると、急いだほうがいい時もあるし、ゆっくりやったほうがいい時もある、としか言いようがありませんわな。

あかん、袋小路やんか、と思いながらネット検索をしていたら、『「急がば回れ」は本当か？」というエキサイティングな記事を見つけてしもた。京都橘大学の池田修教授らによる実験の記録だ。これ幸い、ちゃっちゃとまとめるために内容をパクろうかと思いながら読んでみた。われながら慌てる乞食みたいに卑《いや》しいことであるが、瀬田川は帰られぬ、じゃなくて、せにはらはかえられぬ。サブタイトルは「語源の舞台・琵琶湖で実験してみた」である。おもろそうやんか。

草津から大津まで陸路だと一三キロメートル、歩いて四時間だった。平地の割にはちょっと遅いような気がするが、夏の炎天下のことだから、まぁそんなもんか。水路は、まず草津から矢橋までの三キロを歩いて一時間弱、そしてカヌーが一時間一六分で、計二時間ちょい。風速二・七メートルの向かい風でこれくらいだったらしい。比叡おろし、ちょろいがな。って、夏やからおろしじゃなくてふつうの風やったんやろな。その上、カヌーは歩行よりずっと爽快だったそうな。

なので、参加者たちの結論は「急がば近道」。爆笑！　喧嘩売ってるんですか……。しかし、やはり、冬と春は風が強くて湖の荒れやすいことが多くて、カヌーだと転覆の危険や、前に進めないことすらあるらしい。で、最後には、中道をとってというか、季節限定で「急がば近道。ただし夏秋のみ」と結ばれている。いやぁ、まったくごもっともなご意見でござる。

で、今回の結論。「急がば回れ」は、やはり言いすぎ、あるいは拡大解釈を招くミスリーディングと断定せざるをえませんな。「『急がば回れ』かどうかは、状況を見て判断しましょう」が、より正しい。これやったらあたりまえすぎて、座右の銘になりそうにありまへんけど、しゃあないです。

22

山よりでっかいシシは出ん

あちこちでいろんな文章を書いて発表してますが、手応えがないというかなんというか、どれだけ読まれているのかがさっぱりわかりません。なので、知らない人に、先生のあの本よかったですとか、あのエッセイ面白かったですとか言ってもらえたらとてもうれしい。ただし、そういう機会はめったにないのが悲しい。

私の出した本のうちで八万部近くといちばん売れた『こわいもの知らずの病理学講義』ですら、これまでに一〇人くらいしかそんなこと言われた機会がありません。でも、興奮したのは北新地の超一流クラブのママさんが読んでいてくれてはったこと。その時には、猛然と執筆のモチベーションがあがりましたわ。

この連載も同じく、どれくらい読まれているのやら、ようわかりません。それもあって、みなさまからの「座右の銘」を募集し始めたわけであります。ネタ切れ対策ということもありますが、ご提案があれば、すくなくとも送ってくれはった方にはエッセイを読んでいただけてるはずですから、ちょっと安心できますやろ。

で、今回の「山よりでっかいシシは出ん」は、初めて、その中から選ばせてもらいました。

＊　＊　＊

「山よりでっかいシシは出ん」、どの程度の知名度なんだろうか。間違いなく言えるのは、ある年代の関西人は耳にしたことが多いはずということだ。というのは、大阪・朝日放送の名物アナウンサーだった中村鋭一がよく言っていたからである。ちなみに、中村鋭一は、一九七一年に始まった「おはようパーソナリティ中村鋭一です」というラジオ番組において、日本で最初にパーソナリティを名乗ったとされている（諸説あります）。

ついでに書いておくと、大の阪神ファンであった中村鋭一は、不偏不党の報道が重んじられていた放送業界において、やたらと「六甲おろし」を歌って阪神を応援するという今にいたるタイガース偏重報道を取り入れた進取の人であった。後に政界に転じ、参議院議員を二期、衆議院議員を一期務めていることからもわかるように、関西では知らぬ者などいなかった。

それはいいとして、ここでいうシシは獅子＝ライオンではなくて猪《いのしし》である。ライオンはだいたいサバンナに棲《す》んでおるから山とは相性が悪い。意味としては、たとえ猪が恐くても、その棲みかとする山より大きな猪は出てくるはずがないのだから、何事もそう恐れる必要はないということで、リスナーを元気づけるために使われていた。

岩波のことわざ辞典には、ほぼ同文の「山より大きな猪は出ない」が収録されている。ところが意味はまったく違っていて、「(一) 誇張にも程があるということ。(二) 入物より大きな中身は入っていないというたとえ」とされている。う〜ん、それはちょっとちゃうんちゃうんか。と思って新明解故事ことわざ辞典をひくと「山より大きな猪は出ぬ」とあって、やはり「話が大げさすぎるのを皮肉っていうことば。誇張するのもほどほどにせよということ。また、入れ物より大きな物が入っていることはないということ」とある。岩波くんといっしょやん。ちなみに、三省堂の故事ことわざ・慣用句辞典には載ってない。それはそれで、どうよ。

しかし、である。どこの世の中に、誇張にもほどがあるとか、たかが入れ物より大きな中身が入っていないことを言うのに、わざわざ猪と山を比較する人がいてるねん。それこそ誇張にもほどがあるやないか。ちょっとは考えなさい、岩波くんと新明解くん。ということで、辞典ではなくて、当然ながら、中村鋭一の解釈を採用して話を進めたい。

とはいうものの、それでも不自然といえば不自然である。いくらなんでも喩《たと》えが極端すぎはしないか。極端すぎる喩えといえばすぐに「月とすっぽん」が思い浮かぶ。しかし、これは極端であることを示す慣用句なので、それでよろし。同じような意味の「提灯《ちょうちん》に釣鐘《つりがね》」よりもよく使われる（ように思う）のは、その極端さが際立っているからこそだろう。しかし、猪と山をこういうコンテキストで使うのはちょっと違うやろ。山の大きさの猪、リアリティーがなさすぎて、恐いかどうかがわからんがな。

いきなり話はかわるが、なにが陸生動物の大きさを規定するかをご存じだろうか？　いろいろなサイズの四つ足動物を思い浮かべてほしい。といっても、そうたくさんでなくていい。ネズミ、ネコ、イノシシ、ウシ、ゾウ、くらいでよろし。大きな動物ほど体の大きさに比較して脚が太いということに気づかれたかもしれない。

ある動物の大きさをX倍（但し、Xは1より大きいとする）にしたとする。そうすると、体重は体積を反映するので、おおよそだけれどXの三乗になる。しかし、脚の断面積は二乗にしかならない。ということは、動物の体が大きいほど、脚の単位面積にかかる重さがどんどん増えて、耐えられなくなる。だから、大きな動物ほど、体の大きさに比べて脚が太くなっている。恐竜の脚がむっちゃ太いのはそのためだ。ついでに言っておくと、ウルトラマンなんかは、とんでもなく強い骨を持っていない限り、とてもじゃないがあんなスリムな脚で体重を支えられるわけはないのである。

なので、山ほどでっかい猪がいたら、って、いるわけないけど、とんでもない太さの脚にならざるをえない。そんな脚だと、きっと歩くことすらできなくて、ホンマに山みたいにじっとしてるだけのはずなので全然恐くない。だから、ことわざとしておかしい。って、こんなしょうもないこと考えるの私くらいですかね。

では、この言葉が嫌いかと言われると、あに図らんや、好き。世間ではどう思われているか知らないが、えらそうな物言いで書いたりしている割には、とても気が小さい（自己イメージです）。なので、今や隠居の身だが、現役時代にここぞというプレゼンなどの前にはとても緊張するのが常だった。そんな時には、いつも直前に「山よりでっかいシシは出ん！」と気合を入れていた。
ただ、これは、座右の銘とはちょっと違う。あくまでも、自分に気合を入れるための呪文みたいなものだ。だから、岩波ことわざ辞典にあるような「山より大きな猪は出ない」というような軟弱な言い方では意味をなさない。「山よりでっかいシシは出ん！」と勢いよくいかないと心が萎《な》えてしまう。

座右の銘、と、いざという時に気合をいれるための言葉、どちらも大事ではあるけれど、ニュアンスには相当な違いがあるように思う。「山よりでっかいシシは出ん」をお題にくださった方には申し訳ないが、これを座右の銘とするのはちょっといかがなものかと言わざるをえないのではないかという気がしないでもないのである（せっかくお題をいただいたので、むっちゃ遠慮してます)。ここぞという時に使うのはいいけれど、日常的に使っていると、なんとなく世の中を嘗めるようになってしまいはせぬか。また今回も山みたいに大きな猪は出んかった、ちょろいわ、と。

だいたい、心配したことの九五パーセントは実際に起きないと言われている。そこへもってきて、常に「山よりでっかい……」をかぶせると、いやぁ大丈夫やわぁ感が増しすぎて世間を嘗めてかかり、ここぞという時にとんでもない失敗をしてしまいそうやん。これって、老婆心すぎますやろか?

そこへもってくると、しょっちゅう「山よりでっかい……」と共に中村鋭一が言っていた、「陽気に元気に生き生きと」のほうが座右の銘にはふさわしそうだ。格調は高くない、というか、ハッキリ言って低いが、毎朝これを唱えるのは悪くなかろう。きっと、ほとんど優勝する機会のない阪神タイガースを心から愛し続けるには、「陽気に元気に……」と言い続けないとメンタルがもたなかったのかもしらんけど。

せっかくの読者応募、決して貶《けな》すわけではございません。が、『山よりでっかいシシは出ん』は、座右の銘としてより気合を入れる呪文のように使いましょう」、というのを結論にいたしとうございます。

23

魚心あれば水心

連載においていちばん心配なのはネタが尽きてしまうことであります。自己肯定感を強く漂わせる小心者というややこしい性格なので、こういったことについては強迫的かと思えるくらい心配してしまいます。なので、この連載を始める時も、本やネットで調べて、そこそこの数の座右の銘らしきものをストックしました。とはいえ、いざ書く段になると微妙なやつもあるわけです。

取り上げたら面白そうやけど、本当にそれを座右の銘にしている人がいるかどうか。これはけっこう大きな問題です。おかしなものについて書くと、けっ、そんなもんを座右の銘にしてる奴がどこにおんねん、アホボケカス、とかいう誹《そし》りを受けかねません。そんなことまで気にせんでええんちゃうんかと思われるかもしれませんが、こういうことが心配になる性格なのでいたしかたありません。

前回の「山よりでっかいシシは出ん」もストックに入れはしていたけれど、どうしようかと考えあぐねておりました。が、愛読者からのオススメがあってにしているという方がおられることがわかったので書くことに。という前置きで始めまする。

＊　＊　＊

「魚心《うおごころ》あれば水心《みずごころ》」もそんなひとつで、座右の銘に取り上げたのです。今回の「魚心あれば水心」、座右の銘になりえそうだけれど、ちょっとした逡巡《しゅんじゅん》があった。理由は三つ。それほど一般的ではなさそうということ。それから、魚心と水心ってなんやねんということ。もうひとつは、なんとなく印象がよいとばかりは言えないこと、である。

どんなシチュエーションで使われがちか。人にもよるだろうが、私には、今や絶滅危惧になっている時代劇、そう、「水戸黄門」や「遠山の金さん」とかに出てくる悪代官と越後屋（他の屋号も可）の悪だくみシーンが真っ先に思い浮かぶ。

越後屋：では、お代官さまもそのようにお考えで。
悪代官：さよう。魚心あれば水心とはよう言うたもんじゃ。
越後屋：おそれいります。
悪代官：ふおっふおっふおっ。お前も悪よのぉ。

というようなやつだ。

あかんやろ。もちろん、このようなシーンで使われるばかりではないが、どうにもこういったイメージが強い。そんなことありませんかね。とか、ぶつぶつ考えながら、正しい意味を調べてみることに。

語呂やリズムはいいのだが、よく考えてみると、言葉の意味が今ひとつわかりにくい。まずは魚心。ネット検索すると、お寿司屋さんや居酒屋さんばかりがヒットする。読み方は「うおしん」が多い。「うおごころ」と読んでの魚心は「魚心あれば水心」以外に使われることはなさそう。もう一方の水心は、「みずごころ」と読んで「水泳の心得、遊泳のたしなみ」とある。なるほど。って、わかったようで、二つあわせたら、いっこもわからんがな。

そもそも、魚に心があるかどうかはかなり微妙である。さかなクンに聞いたら、あるにギョまってます！　とか言いそうだけれど。で、全幅の信頼を置いている岩波ことわざ辞典をひいてみた。最初からひけよと言われそうだが、そんなことしたらおもろないし、字数がかせげませんがな。

そこには驚愕の事実が！　というほどのことはないけれど、魚心とか水心とかいう単語があるわけじゃなくて、もともとは「魚、心あれば、水、心あり」で、それが縮められたものだとのこと。意味は「魚が水を思う心をもてば、水も魚を思う心をもつ」とある。魚に心があるかどうかは定かでないが、さかなクンの顔をたてて（↑推定）、ここはあるということにしておこう。

魚心と水心ってなんやねん問題は一応の解決を見たが、次なる問題は「魚が水を思う心をもてば、水も魚を思う心をもつ」がなにを意味するかである。元科学者として、魚はまだしも、さすがに水が心を持つというのは許せないから、実際的な解釈が必要である。岩波ことわざ辞典によると、二つの意味が併記してある。

「(一) 相手が自分に好意をもてば、こちらも相手に好意をもつものだというたとえ」

「(二) 自分の方が相手に好意をもてば、相手の方もこちらに好意をもって良好な関係を結ぶことができる意」

読めばわかるように、「行動を受け止める主体が逆になっている」二通りの解釈があるのだ。一方が先にあって、もう片方が誤用、というわけではなくて、昔から両方の意味で使われていたとある。ちなみに、三省堂と新明解のことわざ辞典には（一）の意味しか書かれていない。

さて、どう思われるだろう？（一）の意味で使うのはいいけれど、（二）はちょっとあかんのとちゃうんか。（一）は、あくまでも主体がこちらなのだから、おおような感じ、お大人《たいじん》感がしてよろし。やや高飛車《たかびしゃ》な印象はあるやもしれねど、すくなくとも害はなかろう。絶対イヤな奴に好かれてしまって困ったりすることもなくはないけど、まぁ、それぐらいは我慢して好意返しをしてあげる程度の懐の広さは持ち合わせておきたい。

問題は（二）の意味で使う場合である。あらまほしいことは間違いない。けれど、必ずしもそうなるとは限らんだろう。たとえば、片思いみたいなことはしょっちゅう起きる。悪代官と越後屋のような場合は以心伝心なのでええかもしらんが、（二）の意味をもって座右の銘として思い込み、突き進んでしまうと、ストーカーになったりしてしまう可能性もあるではないか。

昔は、自動翻訳はことわざが苦手と言われていた。たとえば、「Time flies like an arrow.」を「タイム蠅《ばえ》は矢が好き」と訳してしまうとか、とことんアホやん。しかし、時代は進んだ。ＡＩが、文法からではなく、例文検索を利用して翻訳をするようになったからだ。ＡＩ自動翻訳DeepLさまを愛用しているのだが、その賢さには舌を巻いてしまう。でも、ひょっとしたら「魚心あれば水心」みたいなのは苦手ではないかと疑い、やってみた。

If a fish is friendly toward water, water will be kind to the fish too.
（もし魚が水に対して友好的ならば、水は魚に親切にする）

賢いがな、やっぱり……。魚が水に友好的になったり、水が魚に親切にするかどうかは知らんが、それくらいはまけといたろ。しかし、岩波ことわざ辞典でいくと（一）ではなくて（二）の意味やん。ただし、「まれ」とあって、もうひとつの訳文もあがってくる。

You scratch my back and I'll scratch yours.

（あなたが私の背中を掻いてくれたら、私はあなたの背中を掻いてあげよう）

これは英語の慣用句にあるらしい。あまりに即物的な物言いで興ざめだが、こちらの意味は（二）ではなくて（一）である。さすがのDeepLさまも二つの意味の狭間《はざま》で悩むのか。というより、例文の網羅的検索だと（一）より（二）のほうがたくさんひっかかってくるということなんか、よう知らんけど。うーん、はっきりせんなぁ。まぁ、賢いとはいえこの程度なんやな。って、喜んでてもしゃぁないけど。

　さて、いつまでもいらんことして遊んでないで、結論に入りまする。悪代官・越後屋関係がもたらすようなよろしくない印象はさておき、（一）の意味で座右の銘とするのはよしとしましょう。しかし、やはり（二）の意味は、場合によっては不測の悪しき状況を招きかねない。ということで、「魚心あれば水心は、意味を限定した座右の銘に留めおかれよ。決して悪用してはなりませぬぞ、ふおっふおっふおっ」と、水戸黄門風で終えたく候。

24

明日、世界が滅びるとしても、
今日、あなたはリンゴの木を植える

開高健、好きな作家のひとりです。どれくらい好きかというと、森鷗外と並んで、死ぬまでに全集を読んでみたいと思っているくらい好きであります。たぶんどっちも読まなそうやけど……。それはさておき、よく知られているように、開高健は数々の素晴らしい言葉を遺し、名言集まで出されているほどです。ファンなので、文字どおりの座右に、いや、より正しくは机の左側にある本棚ですから「座左」に『開高健　名言辞典　漂えど沈まず　巨匠が愛した名句・警句・冗句２００選』（小学館）を鎮座させております。

この本には、タイトルにある「漂えど沈まず」をはじめ、「毒蛇は急がない」、「悠々として急げ」、「美食と好色は両立しない」など、素晴らしい名句が二〇〇も紹介されています。中でも「何かを手に入れたら何かを失う。これが鉄則です」がいちばん好き。これのフルバージョンは「何かを得れば、何かを失う。そして何ものをも失わずに次のものを手に入れることはできない」で、第一幕の第二回（一八頁）で紹介したことからもわかるように、これはもう私にとって座右の銘中の座右の銘です。かように心酔《しんすい》しておるのではありますが、ひとつだけ、どうにも納得できないものがあります。そのお話から。

＊　＊　＊

「明日、世界が滅びるとしても、今日、あなたはリンゴの木を植える」。開高健がよく色紙に書いたという言葉である。しかし、そう言われても困ってしまう。イヤやし。ただ、これには原典がある。「たとえ明日、世界が終わりになろうとも、今日私はりんごの木を植える」というやつだ。

この言葉はドイツの宗教改革者マルチン・ルターによるとされているものが多い。しかし、『ルターのりんごの木　格言の起源と戦後ドイツ人のメンタリティ』（教文館）によると、ほぼ否定されている。どうやら、誰の作かはようわからんらしい。ルター、ひょっとしたら、こんな言葉を遺したという「濡《ぬ》れ衣《ぎぬ》」を着せられて迷惑かも。

意味としてはわからないわけではない。どのような状況にあっても希望を持って生きましょうということだろう。悪くはない、というより、とてもよろしい。しかし、言い回しとしてはいかがなものか。正直に答えていただきたい。明日、世界が滅びるとして、さらにこの言葉を知っていたとして、はたしてあなたはりんごの木を植えられるだろうか？　そんなことありえへんのとちゃいますか。

世界が滅びる、といえば、誰がなんと言おうと『ノストラダムスの大予言』（祥伝社）だ。と書いても若い人には意味がわからないだろう。しかし、ある年齢以上の人は間違いなく覚えておられるはずだ。今となっては、どうしてこんなトンデモ本がアホほど売れたのかさっぱり理解できないが、一九七三年に発売された五島勉《ごとうべん》によるこの本、最終的には四五〇版、二〇九万部も売れたという。その後、続々とシリーズが出されていて累積は五〇〇万部にもおよんだとは、ますます信じられん。

フランスの医師・占星術師であったノストラダムスの予言「一九九九の年、七の月　空から恐怖の大王が降ってくる」を、世界の滅亡がやってくる予言と解釈した本である。第三次世界大戦による核爆弾かなにかによるのではないかとされていた。面白いというよりわけがわからないのは、この本がノンフィクションの位置づけだったことだ。どこがノンフィクションやねん！　どうみても妄想やんか。当時高校生だった私も読んで、ひょっとしたらそうなるかもしらんと思ったからえらそうには言えんけど。

さすがに大人は大丈夫だったと思うが、真に受けて、そんなんやったら勉強せんでもええわと投げやりになった子どもがけっこういたという話を聞いたことがある。都市伝説ではないかと思うが、これだけ売れたのだから、そこそこの数はいたかもしれん。

しかし、当時この本を読んで、「そうだルターの名言がある。私はりんごの木を植えよう」と思ったような人はおらんかっただろう。おったらぜひ名乗りをあげてほしい。おぉ、そうですか！　と感心してさし上げます。まぁ、本の発売から滅亡まで二十年以上もあったから、「明日世界滅び今日リンゴ」とか「明日世界終わり今日りんご」みたいな、明日どうこうなるとかいうのとは事情が違うかもしらんけど。

ルターの言葉であるかどうかはさておくとしても、どう考えてもリアリティーがなさすぎはしないか。明日、世界がなくなるとわかったら、他にすることがあるやろ。たとえば、昔にしでかした過ちを謝りに行くとか、この人にだけはお礼を言っておきたいから会いに行くとか、一度はしてみたかったけれど先延べにしてたことを実行するとか。

たとえば愛を告白するとかいうのはいいかもしれない。どうせ明日になったらお互いにいなくなるのである。伝えておいて悪くはなかろう。後になって、あいつふられよったらしいでとか、噂されることもないし。相手が好意を持っていてくれていたら申し分ない。もし持ってなくても、もう明日で世界が滅亡するから後くされはない、優しくしといてあげようと「私もだったんです」とか言うてくれるかもしらんし。

もうひとつのオプションは、これまでの人生を振り返りながら、淡々とルーチンをこなすことだろうか。これはこれで素敵ではないか。その場合、りんご農家の人であれば、りんごの苗を植えることもあるだろう。お、ひょっとしたら、この言葉、最初に考えついたのはりんご農家の人とちゃうやろか。あるいは、ルターかルターのニセモノか誰かが、りんご農家の人を前に一発かますために発した言葉とか。それやったら納得やけど。

ちょっと似た言葉に、「明日死ぬかのように生きよ。永遠に生きるかのように学べ」というのがある。ガンジーの言葉とされているが、これも違うらしい。りんごの木と同じように、それらしい言葉は、言いそうな人の言葉にしようというドライビングフォースがかかるのかもしれませんな。

「永遠に生きるかのように学べ」というのはいい。素晴らしいではないか。しかし「明日死ぬかのように生きよ」というのは、いかがなものだろう。真に受けて、自暴自棄になる人が出てくるかもしらんがな。もちろん、言わんとすることは、今を精一杯生きなさいということなのだが、言葉というのは難しい。

座右の銘として「明日、世界が終わりになろうとも、今日私はりんごの木を植える」をどう捉えるかは、かくも難しいのであります。気持ちはわかりますが、できそうにあらへんし、したくもない。たとえ大好きな開高健に「明日、世界が滅びるとしても、今日、あなたはリンゴの木を植える」と催眠術をかけられてもお断りするしかない。キッパリっ！

「明日、世界が終わりになるとしたら、今日はなにをすべきか考えなさい」あたりはどうですやろ。日によって違ってもよろし。いや、違ったほうがもっとよろし。そのバラエティーこそがあなたの生き様になるかもしらんのやから。

25

生きてるだけで丸もうけ

「誰それの座右の銘」としていちばん有名なのは、明石家さんまの「生きてるだけで丸もうけ」とちゃいますやろか。さすがは大スター、新潮社から『明石家さんまヒストリー』という本が出とります。著者はエムカクという明石家さんまの大ファンの方で、世の中にこんな詳細な伝記がありえるのか、っちゅうくらい詳しすぎる内容です。シリーズで出版されていて、一冊目のサブタイトルは『1955〜1981「明石家さんま」の誕生』、そして二冊目が『1982〜1985　生きてるだけで丸もうけ』。そう、なんと、本の題名にまでなってるんです。まずは、そこに書かれている話から。

＊　＊　＊

明石家さんまがこの言葉を座右の銘にしているのは、師匠である笑福亭松之助の影響が大きい。名人とか大人気とかいうわけではなかったが、松之助師匠というのは、味のあるいい落語家さんだった。さんまが松之助師匠に入門を頼んだ時のエピソードが最高だ。

楽屋入りする時に「ちょっと！　ちょっと！」と呼び止めた杉本高文（さんまの本名）と高座が終わった後で面会し、「なんでワシの弟子になろうと思たん？」と尋ねた時の答えがすごい。「……いや、師匠はセンスありますんで」。普通の芸人さんなら怒るところだが、「まだ十八やのにそんなこと言うのは生意気やという人もありますけど、僕自身は『俺ってセンスあるんや』とうれしかった。彼とはセンスがあうんですわ」と語っている。この弟子にしてこの師匠あり。後年は芸よりもさんまの師匠としてのほうが有名で、そのことをとてもうれしそうにしておられたのも素敵だった。

その松之助師匠が生涯大切にしていた言葉がある。それは「人は生かされて生きている」と「急がず慌てず、あるがままに生きていく」というものだ。だからだろう、さんまの「生きてるだけで丸もうけ」という言葉は、松之助師匠との会話の中で浮かんだという。しかし、この座右の銘ができるにはいくつもの悲しい出来事があった。

ひとつは最愛の弟の死である。十九歳という若さでの焼死であった。それも、火事の状況から自死ではないかという検分がなされている。その週は、当時爆発的な人気があったテレビ番組「オレたちひょうきん族」で、自ら考案したキャラクター「アミダばばあ」を登場させなければならなかった。大きな悲しみをこらえてお笑い芸人として生きなければならない状況に、さんまは大きく変わったという。ある種の開き直りだったのかもしれない。

翌年には、これも大人気だったバラエティー番組「ヤングおー!おー!」以来、さんまと抜群のコンビネーションで笑わせ続けていた落語家・四代目の林家小染が亡くなった。三十六歳だった。酔っ払った小染が国道に飛び出してトラックに轢《ひ》かれたのだ。さらにその翌年の一九八五年、祖父の音一が逝去する。むちゃくちゃに面白い人で、さんまは小さいころ、この祖父にお笑いのセンスを鍛えられたという。

これら三人の死に加え、音一が亡くなった一カ月すこしあとに御巣鷹山での日航機墜落事故があった。いつも月曜日の羽田発伊丹行き一二三便に乗っていたのだが、自ら申し出たスケジュール変更で、一カ月前から日曜日の便を利用するようになっていた。その偶然のおかげで難を逃れることができたのだ。あまりのショックに、直後のラジオ番組ではなにも話さず、ひたすら音楽をかけ続けたという。

「生きてるだけで丸もうけ」、いかにも明石家さんまらしいあっけらかんとしたイメージがある。けれど、こういったエピソードを知ると、決してそのようなものではないことがわかる。相当に奥深い。

読売新聞の読書委員会でご一緒した国語辞典編纂者・飯間浩明さんは、朝日新聞の「街のB級言葉図鑑」で、「誰が言ったか分からないが、広く知られた、なるほどと思わせることば。これを私たちは『ことわざ』と言います。『生きてるだけで丸もうけ』も、広告にもじられるほど知られた名言です。新しいことわざに認定してもいいでしょう」と書いておられる。なんと、専門家によることわざ認定！

娘・IMALU《いまる》の名前がこの言葉からとられていることもあり、さんま作として非常に有名である。でも、諸説あります。先日別府へ行った時に知ったのだが、別府を日本一の温泉地にした実業家・油屋熊八の言葉だともいわれている。短い言葉なので、別々の機会に思いつかれても不思議はないだろう。

ちょっと余談。別府駅前に油屋熊八の銅像が建っている。髪の毛がすくなくて「ぴかぴかのおじさん」と呼ばれた姿が、なんだか私にそっくりなのである。ウィキペディアの肖像写真とは銅像ほどには似てないのだが、なんだか妙な親近感を抱いている。

熊八は、若いころに大阪の米相場で大儲けし「油屋将軍」とまで持ち上げられるが、暴落により全財産を失い、英語もわからないのに米国へ渡って放浪し帰国する。大阪で再起を期すがうまくいかず、別府で旅館を経営するようになる。以後、地獄めぐりの開発、バスガイド付き観光バスなど、次々とユニークなアイデアで別府を一流の観光地に育てあげる。

今ならこういったことには公的なお金が使われるのがふつうだが、当時は違った。ほとんどすべてを私財をなげうっておこなったために「別府一の借金王」を自称していたほどだ。「生きてるだけで丸もうけ」を口癖にしていたというから、その由来でも書かれているかと、熊八をモデルにした小説、『万事オーライ　別府温泉を日本一にした男』（PHP研究所）を読んでみたけれど、記載はなかった。残念。

波瀾万丈の人生だったが、別府を人気の観光地にするための片腕だった梅田凡平を三十八歳で亡くしている。小説なので創作かもしれないのだが、凡平の死は熊八のせいだと強くなじられるシーンがある。理不尽な言いがかりなのだが、熊八はずいぶんとショックを受けた。想像でしかないけれど、そんなこともあって、熊八は「生きてるだけで丸もうけ」という言葉をよく使うようになったのかもしれない。

さんまの言葉とされていることもあって、なんとなく楽しく暮らすというイメージがありますわな。そやけど、「生きてるだけで丸もうけ」と言い切れるようになるには、相当につらいプロセスがいるのとちゃいますやろか。それに、悪い出来事があって落ち込みまくっている人に向かって、「大丈夫や、生きてるだけで丸もうけやで！」とか言ったら激怒されるかもしらんし。「生きてるだけで丸もうけ」。そんな達観した考えで生きていきたいけど、ちょっと難しいんとちゃうかなぁ。座右の銘とかじゃなくて、ほとんど悟りの言葉みたいな気がしますわ。みなさんはどう思わはりますやろ。

第六幕　深遠なる座右の銘問題

26

沈黙は金

毎回、適当な言葉を選んで、ざっくりとこんな感じでいてこましたろかと算段してから書き始めます。書きながらいろいろと調べてみると、「おぉ、こんなこともあるんか」とか、「ぎょぇ〜、ぜんぜん知らんかったがな」とかいうことがたくさん湧いてきて、軌道修正が余儀なくされていくわけです。といえば聞こえはよろしいが、右顧左眄《うこさべん》、じゃなくて、右往左往させられるわけです。

とはいえ、毎回、できあがりはすこぶるよろしいように思っとります（↑自己肯定的）。今回取り上げるのは「沈黙は金」。これは、私のように常にひとこと多いタイプの輩にとっては鬼門みたいな言葉なので、避けて通ることはできまへん。

読んでもろたらわかりますが、今回の右往左往ぶりはこれまでの最高記録となり、かなり長くなってしまいました。でも、読み応えあります。もちろん結論としては、やっぱりこれはおかしすぎる、ということに。と、期待感を煽る前説はこれくらいにして、どうぞっ！

＊　＊　＊

「沈黙は金」、あかんのとちゃうん。長年、大学で教員を務めてきたが、そこで暮らす人たちは間違いなくこの言葉が好きだ。なにしろ、私などは、言いたいことの十分の一も言ってこなかったのに、口が過ぎると思われていたような気がしてしかたがない。大学では、ほとんどの人は表立ってはっきりした意見を言わない。まるで、なにかを言えばろくでもない祟《たた》りがあるかのように。

しかし、いや、だから、と言うべきか、噂話や陰謀論、陰口は相当に好きだ。根回しやらなんやらで物事を決めるのでなく、きちんとガチンコ議論で進めるべきだと思うのだが、とてもそうはなっていない。このような傾向が、日本の大学が凋落《ちょうらく》してきた理由の最大のものではないかと考えている。

組織の運営には「心理的安全性」が重要だとされている。心理的安全性とは、組織の中で自分の考えや気持ちを忌憚《きたん》なく述べても、決して罰せられることがない状態のことだ。大学はほぼ真逆といっていい。いや、もうすこし正しく言うと、罰せられるかどうかはよくわからないが、罰せられると思い込んでしまっているような状況だ。大学のことしか知らないが、日本の企業も多かれ少なかれ似たようなものかもしれない。

「沈黙は金」というのは、心理的安全性が低い組織において、ものを言わないことを正当化するためにとても便利な言葉だ。だから日本では受け入れられやすいのではないか。明治から昭和を生きた思想家、二・二六事件の理論的指導者として死刑になった北一輝などは、その著書『日本改造法案大綱』において「沈黙は金なりを信条とし謙遜の美徳を教養せられたる日本民族」とまで書いているほどだ。

しかし、この言葉——いうまでもなくフルバージョンは「雄弁は銀、沈黙は金」――は国産ではなくて輸入物である。そこが不思議でたまらない。ひとくくりにしていいかどうか迷うところではあるが、一般論として欧米人は日本人に比べてやたらと雄弁ではないか。

この言葉、英国の歴史家にして評論家、トーマス・カーライルによるとされることもあるが、カーライルが考えついたのではなくて、それ以前からあった言葉であることは間違いない。Google の Books Ngram Viewer (https://books.google.com/ngrams/) を使うと、なんと、ある言葉が本の中でどれくらいの頻度で使用されたかを調べることができる。「Silence is golden」と入力すると、一八〇〇年くらいに何度か出現するものの以後ゼロとなり、一八四〇年くらいからうなぎ登りに増え、一九世紀の後半にピークを迎え、そのあとは下降気味になり二一世紀に入って盛り返し気味、ということがわかる。

カーライルが、「Silence is golden」を紹介した『Sartor Resartus 衣装哲学』を

発表したのは一八三三年から三四年にかけてなので、この本がこの言葉を広めるきっかけになったのは間違いなさそうだ。すこし長くなるが、その部分を引用してみよう。とはいえ、むっちゃ難しい英語なので、べつに読まなくてもよろし。

Silence is the element in which great things fashion themselves together; that at length they may emerge, full-formed and majestic, into the daylight of life, which they are thenceforth to rule. Not William the Silent only, but all the considerable men I have known, and the most undiplomatic and unstrategic of these, forbore to babble of what they were creating and projecting. Nay, in thy own mean perplexities, do thou thyself but hold thy tongue for one day: on the morrow, how much clearer are thy purposes and duties; what wreck and rubbish have those mute workmen within thee swept away, when intrusive noises were shut out! Speech is too often not, as the Frenchman defined it, the art of concealing thought; but of quite stifling and suspending thought, so that there is none to conceal. Speech too is great, but not the greatest. As the Swiss inscription says: Sprecfien ist silbern, Schweigen ist golden (Speech is silvern, Silence is golden); or as I might rather express it: Speech is of Time, Silence is of Eternity.

ＡＩ翻訳ソフトDeepLさまのお力を借りてなんとか理解できた（ように思う[※1]）。最初の文章は「沈黙は、一流が一流を地で行くための要素である」と、お訳しなされた。すまん、全然わからんかったわ。以下、長々とあるが、偉大な人は沈黙をよしとしたというような内容で、最後は「雄弁も偉大ではあるが、最も偉大という訳ではない」とあって、「『雄弁は時のもの、沈黙は永劫のもの』と表現してもいいかもしれない」、と締めている。だから、どうして沈黙が優れているかという理由が書かれているというわけではない。

偉大な人の例として、William the Silent の名前があげられている。オランダの初代君主ウィレム一世のことで、日本語では、the Silent は「沈黙公」と訳されている。素晴らしすぎるやん。ここまではいいとしよう。しかし、ウィキペディアの解説を読んで腰が抜けた。

「『沈黙公』として知られているが、これは反乱直前の時期の旗幟《きし》を鮮明にしない態度を揶揄したもので、実際には誰にでも愛想がよく非常におしゃべりであった」

はぁ〜っ？　どういうこっちゃねん。沈黙が揶揄されとるがな。もし本当だとしたら、普段は雄弁で、ここぞという時は沈黙するのがベストということとちゃうん。それやったらわかるぞ。ふむ、今回もことわざ辞典を調べまくった。そういうように書いてあるかもしらんし。

「沈黙は雄弁よりも価値がある。へたな弁明をするよりも、沈黙を守るほうが賢明である」（小学館・故事俗信ことわざ大辞典）
「雄弁であることも大事だが、沈黙すべきときに沈黙を守ることはもっと大切である」（新明解故事ことわざ辞典）
「上手によどみなく話すことは大事だが、いつ、どの場面で沈黙すべきかを心得ているのは更に大事なことである」（三省堂・故事ことわざ・慣用句辞典）

なるほど。「沈黙は金」だけを使うからあかんのや。それでは、雄弁も優れている、というニュアンスがなくなってしまう。中でも三省堂のは、沈黙公のことを念頭に置いたかのような解説になってる。この三つの辞書はどれも「沈黙は金」だけ、あるいは「沈黙は金、雄弁は銀」の順ではなくて、「雄弁は銀、沈黙は金」としての解説である。この順番も意外と大事なことかも。

ところが、岩波ことわざ辞典だけは「沈黙は金」という項目になっている。とはいえ、「やたらなことをしゃべるより黙っているほうがよいと、雄弁より沈黙を評価する意」とあるので、説明は他と大きくは違わない。しかし、その解説には衝撃の事実が！

まず、一般的な価値観と矛盾するのにどうしてこんなことわざが西洋にあるのか、という疑問が呈される。えぇぞえぇぞ、さすが岩波！　そして、一九世紀までの西洋は英国を除いて実質的に銀本位制であったために、おそらくはドイツ発祥のこの言葉、沈黙より雄弁のほうがよいという意味でヨーロッパに広まった、とある。そして、時代は移り、金本位制に変わったけれど言葉はそのまま残り、意味の逆転が生じてしまったというのだ。さらに、「多弁を戒め沈黙を最大限に評価する日本では、沈黙が金であることになんの疑いも持たれずに、むしろ積極的に取り入れられていったものと推測される」と結論づけられている。

ホンマですか……。私の考えを支持しすぎてくれてるやん。そやけど、なんか、後方三回転二回半ひねりで着地が決まったみたいで、スロービデオで解説してもらわんとようわからんようになってしもてる。以下、まとめ。

カーライルは金本位制をとっていた英国の人だから、沈黙のほうが雄弁よりもよしとして書いたのだろう。しかし、他の国では逆の意味として使われていた。日本へは英国から輸入された上に、芭蕉が詠んだように「物言えば唇寒し秋の風」のような土壌がある国だ。「沈黙は金」が一人歩きして大きく育ったといったところなのではなかろうか。

どやっ！　総合的に考えると、すくなくとも「沈黙は金」とだけ使うのは詐欺的ではなかろうか。岩波の解説にある銀本位制説が正しいかどうかを判断するのは難しいけれど、雄弁は重要であるが、場合によっては沈黙がより重要という意味合いが必要なのは絶対に間違いない。そうでないと物事は進まない。

座右の銘とするには、すくなくとも「雄弁は銀」とセットにしてもらいたい。あるいは、「ここぞという時には沈黙は金」と留保条件をつけていただきたい。辞典類の解釈もそうなっておることだし。

これにて終了、すっきりしたわぁ。でもええのやけど、念のためにChatGPT君の意見も聞いてみることに。質問はズバリ、「沈黙は金」とかいう座右の銘はいらんやろ。して、そのお答えは。

「沈黙は金」という座右の銘は、状況によっては有用なこともありますが、常に使えるものではありません。たとえば、相手になにかを伝えなければならない時に、ただ黙っているだけでは意思疎通ができませんし、問題を解決することもできません。

また、時には意見を述べたり、議論をすることで、よりよいアイデアや解決策を見つけることができます。ただし、その場合でも、相手の意見を聞くことや、相手を尊重することが大切です。

つまり、「沈黙は金」という座右の銘は、状況によっては役立つこともあるが、常に使うべきものではなく、適切な場面で適切に使い分けることが重要です。

おぉ、同じ意見やないか！　でも、ちょっと考察に奥行きがたらん。勝ったな……（↑自己肯定感マックス）。

注釈

※1　『衣装哲学』　一八三三年十一月～一八三四年八月発表

沈黙は、一流が一流を地で行くための要素である。それにより、雄々しく、生命の光に照らされ、堂々としたものになるのです。沈黙公・ウィレム一世だけでなく、私が知っているすべての重要な人物、そして最も外交的で戦略的でない人物も、自分が創造し示したいものを口にしないように避けていた。いや、己の卑しい迷いには、一日だけ口をつぐむがよい。明日には、己の目的と任務がどれほど明確になっているか！　雄弁とは、フランス人が定義したように、思考を隠す技術ではなく、思考を完全に窒息させ、中断させ、隠すものがないようにするものであることがあまりにも多い。雄弁も偉大ではあるが、最も偉大という訳ではない。スイスの碑文にこうある「Sprecfien ist silbern, Schweigen ist golden.（雄弁は銀、沈黙は金）」。あるいは、こう表現してもいいかもしれない「雄弁は時のもの、沈黙は永劫のもの」。

www.DeepL.com/Translator（無料版）で翻訳しました。

27

学問に王道なし

タイトルどおりに「好かん」座右の銘を取り上げてきたわけでありますが、今回はちょっと趣向が違います。好きやし、正しいし、そうあるべきと考えている言葉であります。しかし、たぶん、次第に通用しなくなるのではないか、あるいは、違う意味で使われるようになるのではないか、と危惧している言葉であります。「学問に王道なし」。いつにもましてハイブロウにいきまっせぇ。

＊　＊　＊

一般の人にはあまり関係のない言葉だろう。が、多くの研究者は意図するしないにかかわらず、多少なりともこういう心得を持っているはずだ。なにより格好がええではないか。意味は言うまでもない、「学問を修めるのに、手軽で安易な方法はない」（新明解故事ことわざ辞典）ということだ。

大昔になるが、最初にこの言葉を知った時、不思議な印象を持った。王道を「歴史小説の王道を行く傑作」というような「最も正統な道・方法」（広辞苑）と考えると、意味が真逆になるからだ。一般的には「王道」はこの意味で使われることが多いと思うが、「儒家の理想とした政治思想で、古代の王者が履行した仁徳を本とする政道」(広辞苑)という意味もある。「学問に王道なし」の王道はこれらと違い、第三の意味、「(royal road の訳語)楽な方法。近道」(広辞苑)のことである。たぶん明治時代やろうけれど、すでに王道には二つの意味があったはずやのに、なんで三つ目の意味を持たせたんでしょうな。ややこしいのに。それに、「学問に王道なし」以外で、「王道」がこの意味で使われることはほとんどなさそうやし。

そもそも、「学問に王道なし」は「There is no royal road to learning.」の訳である。royal road、直訳すれば王道だが、これは普通名詞というよりは固有名詞で、アケメネス朝ペルシアのダレイオス一世によって紀元前五世紀に建造された、高速で移動できる古代のハイウェイを指す。そこから転じて、簡単に到達できるという意味で使われるようになったという。ふむ、それやったら、royal road は王道ではなくて、王の道と訳すべきやったんちゃいますかね。「学問に王の道なし」、どうですやろ。う〜ん、意味はわかりやすくなるかもしらんけど、語感としては王道のほうがええかなぁ。ひょっとしたら、多くの人はロイヤルロードといえば中国の唐を思い出さはるのと違いますやろか。「ろいやるろーどは唐の道」いうて、建国の年、六一八年を覚えませんでした？　私だけやろか。しょうもないことを言うてないで、本題に戻ります。

意外なことに、岩波のことわざ辞典には「学問に王道なし」が載っていない。単にことわざとして認定されていないのか、あるいは、ことわざではなくて故事という扱いなのか。というのは、「ギリシャの数学者ユークリッドが、幾何学を学んでいたエジプト王トレミーの『もっと手軽に学ぶ方法はないのか』という質問に対して、『幾何学に王道なし』と答えた」（新明解故事ことわざ辞典）のが出所だとされているからだ。なるほど、来歴も格好よろしいがな。

おおよそどの分野にでも「学問に王道なし」は通用するし、してきたはずだ。しかし、それは次第に揺らぎつつあるのではないか。すでに過去二十年くらいの間、そんな気がしていた。すくなくとも生命科学のような実験系では間違いない。最大の理由はネット検索だ。

研究を進める上で最も大事なのは、自分自身が出したデータである。それと並んで重要なのは、これまでに報告された関連論文だ。昔は、どんなことがおこなわれてきたか、また、どの論文に書かれているかを知っていることが極めて重要だった。それには、「頭の中のデータベース」とでもいえばいいのだろうか、読んだことのある論文の知識の蓄積が頼みの綱だった。しかし、今は違う。キーワード検索で関連論文は簡単にピックアップして、すぐにインプットできる。それも大昔から最新にいたる膨大な数の論文からだ。

そんなことをしても、脳の中にある「学問」は進歩しないのではないかと言われるかもしれない。もちろんそうなのだが、もはや、そんな考えは通用しまい。有史以来、学問というのは［知識×思考］みたいなところがあったけれど、今や知識は外付けできるようになった。そんな時代、脳の中にだけ閉じられた学問にどれだけの価値があるというのだ。

そこへ持ってきてChatGPTに代表される生成ＡＩである。いよいよすごい。完璧に足を洗ったが、かつての研究テーマの将来的な方向性について尋ねてみた。あまりに的確な答えが返ってきて驚いた。賢さなど持たないアルゴリズムであることはわかっていても、その「賢さ」はすごすぎる。

どの研究テーマの研究をやればメリットがあるかを教えてくれるサービスが開始されるようになるだろうと、十年ほど前から予想はしていた。ずっと考えていたのは、どこぞの会社が請負サービスでやるようなシステムだ。それなりの費用を払えば、指導教授が出してくるテーマよりも優れた提案をしてくれる。そうなると世も末ではないか。もちろん、教授にとって、である。

多くの人がそのサービスを利用するようになったとしよう。そうすると、完全に同じでなくとも、複数の研究室が似た方向性の研究をおこなうようになる。競争は激しくなるが、すくなくとも見た目としては、その方向の研究がトレンドになっていく。だが、それが正しい方向かどうかなど、誰にもわかりはしない。いよいよ、世の末の末ではないか。そんなことを考えていたのだけれど、甘かった。生成AIはそれに近いことを簡単にやってくれるのだから。それも、思っていたよりずっと早い時代に。

生成AIは、過去のデータからしか学べないのだから、そういったことからは思いつけないような発想の学問をやればいいという考えは成り立つ。そりゃそうだ。しかし、そんなものはめったにないのである。どこで読んだのか忘れたのだが、生成AIに対抗するには、みうらじゅんのような、誰も思いつかない独創性のある奇抜な発想が大事になっていくのではないかと書かれていた。冗談みたいな話だが、まったくそうだと大きく肯《うなず》いた。けれど、みんながみうらじゅんみたいに考える学問分野があったら怖すぎるやんか……。

以上、まとめます。「学問に王道なし」は、急速に時代にそぐわなくなっていくのではないか。あるいは、「学問に王道なし」という言葉は、最初に紹介した「王道」の意味で使われるようになり、「学問には最も正統な道・方法などない」、という意味に転じていくのではないか。ＡＩに頼った学問など、従来の学問から見るとどう考えても邪道としか思えないやないですか。

いやぁ、この未来予測、正しいと自信持ってるんですけど、どないですやろ。かなり哀しい感じもしますけど、しゃぁないですわなぁ。自宅裏の畑を耕しながら、しみじみと、引退しててよかった、ええ時代に研究ができてよかったわぁ（過去完了形）、と幸せにひたっておるこのごろでございまする。

28

あきらめない

あまたある「座右の銘」問題のうち、私にとって今回のは最大かつ永遠のテーマです。たいそうなと思われるかもしらんけど、ホンマにそう思ってるからいたしかたなし。それは「あきらめない」ということについてであります。

人生、何事もすぐにあきらめる、というのはさすがにあかんでしょう。だから、あきらめない系の言葉がたくさんあります。それは、まぁ、よろし。しかし、であります。あきらめない状態をいつまでも続けるのが正しいかどうか。

これまでに「努力は人を裏切らない」とか「石の上にも三年」とか、努力系の座右の銘を取り上げてはきました。似てはいるけど、あきらめない系は、ちょっとベクトルというか次元というかが違うように思うのです。

＊　＊　＊

最近は横着になって、ついChatGPTにおうかがいをたててみたくなる。「あきらめないことを勧めるような座右の銘にはどのようなものがありますか」と尋ねてみたら、「困難は一時的なもの、挑戦は永遠のもの」、「途中で諦めず、最後まで頑張れ」、「成功はあきらめない人に微笑む」、「一歩一歩、努力は必ず報われる」、「明日への希望を持って諦めないで」、などなど、躊躇《ちゅうちょ》することなく、ずらずらずらっと一〇個出てきた。ふむ、それではと、「その逆、あきらめることを勧めるような座右の銘は？」と問い返すと、まず「あきらめることを勧めるような座右の銘は、通常は励ましや成長を促すメッセージを含むことが一般的です」との前置きが。なるほど、単にあきらめることを勧めるのは正しくないっちゅうことやな。でも、「適切な時にはあきらめて新たな道を探せ」、「自分の限界を知り、時には進むべき道を変えよ」、「無駄な努力を続けるよりも、賢くあきらめることも必要」、「失敗を認め、別の方向を模索せよ」、「時には進退を考え、あきらめる勇気を持て」という五つを示していただけた。ええ感じやんか。

読み比べてみていかがだろう。あきらめない系のほうがあきらめる系より勇ましい。「人間あきらめが肝心」という言葉もあるにはある。状況次第ではあるが、これは誰かにあきらめさせるための言葉であって、どう考えても、座右の銘にするにはへたれすぎだ。そう思って眺めると、あきらめを勧める言葉も、なんとなく慰めてくれてるような気がしてくる。

長い間、大学で研究の指導をしてきた。十分に注意を払い、うまくいくはずと思って進めてもらっていても、にっちもさっちもいかなくなることがある。これはもう誰が考えても、時間的にも労力的にも資金的にも止めるべき段階を迎えたとしよう。もちろん、やめたほうがええで、と指導する。それでも、納得できない人がいる。

最大の理由は「これまでの努力が無駄になる」からだ。気持ちはわかる。しかし、続けたとしても「これまでの努力」だけでなく、さらに「これからの努力」までもが無駄になるだけではないか。そんな時、何度、「コンコルドの誤謬《ごびゅう》」の話をしたかわからない。コンコルドの誤謬、ご存じだろうか？　行動経済学でいうところの「サンクコスト（埋没費用）」、取り返しのつかない金銭的、時間的、労力的なコストについてのエピソードである。

コンコルドは英仏が共同で開発した超音速旅客機の名称だ。鳥のようなあの美しい姿を覚えている人も多いだろう。そのコンコルド、開発途中で経費がふくらみ、採算が取れないことが明らかになった。しかし、国家のメンツその他の事情で開発が継続された。もともと収益性があまり見込めない機体であった上に、墜落事故が起こったりして、結果的に大赤字になった。あ〜あ、やっぱりあそこでやめておけばよかったのに、というやつだ。

人間は易きに流れる。その流れに抗わなければ、自然とあきらめるほうに流れていく。だから、あきらめることをわざわざ座右の銘にすることもない。一方、あきらめずにがんばるのはつらいことも多い。だから、励ますような座右の銘が多くある。極めてまっとうだ。だが、もうすこし考えを広げてみたい。コンコルドの誤謬のような場合は、あきらめない、ではなくて、より正しく言うと、あきらめられない、あるいは、あきらめきれない、ではないのか。ここに永遠のテーマ、あきらめないvsあきらめられない問題が発生する。

　思うに、あきらめずにがんばるというのは意志の問題だ。それに対し、たとえば相手にしてもらえないのに異性のことをあきらめられない場合とかを考えると、あきらめられないというのは、むしろ本能的な問題ではないか。それだけに、あきらめない以上に、あきらめるのが難しいことがある。さらに、人間というものは、間違った道を進めば進むほどあきらめにくくなるという性癖を持っているような気がする。難易度でいうと「あきらめられない　＞　あきらめない　＞＞　あきらめる」といったところだ。はて、どうすればいいのか、というのが長年の疑問なのである。

　リチウム電池でノーベル化学賞を受賞された吉野彰さんは、研究者に必要な姿勢として、「頭のやわらかさと、その真逆の執着心。しつこく最後まであきらめない」をあげられた。ノーベル賞学者に楯突《たてつ》くわけではないが、先に書いたような指導経験がけっこうあったので、このことが気になってしかたがなかった。なんと、それについて直接お尋ねできるチャンスが訪れた。

吹田市の市民顕彰を受けられる式で、後藤圭二吹田市長に依頼を受けて鼎談《ていだん》をさせてもらえることになったのである。聞きにくいことやイヤなことは私が聞くというなんともいえない役回りだったが、おもしろそうなのでお引き受けした。そのイベントのタイトルは「あきらめない。」である。最高やないの。で、あきらめられない問題についてお尋ねした。それに対するお答えは、

「本人は筋がよさそうだと思っている場合でも周囲はそうは思わないというケースは、本人がどこまで頑張れるかでしょうね。『今は結果が表れてはいないけれども、あと二年続けたら絶対に結果が出る』と本人に信念がある場合は、周りとの摩擦があっても押し通せる。この場合は、自分の中でなにか手応えがあるはずです」だった（『市報すいた』令和四年四月号より）。

うーん、そういう手応えがわからないのが凡人なんやねんけどなぁ。と思ったけど、よう言いませんでした、スンマセン。というようなわけで、この問題は迷宮入りかと、お蔵入りにしていた。だが、あきらめることの重要性について書いてある本が送られてきた。心から尊敬する前・立命館アジア太平洋大学学長・出口治明さんの『逆境を生き抜くための教養』（幻冬舎新書）である。稀代の読書家である出口さんは、脳出血で半身麻痺・言語障害になりながらもリハビリに励み、学長職に復帰された。

「あきらめる」には「諦める」だけではなく「明らめる」という表記もあって、後者が原義で、もともとは「事情などをはっきりさせる」ことに由来するらしい。知らなんだ。それを受けて、「僕にとっては『あきらめる』は、『運命を受け入れてベストを尽くす』ことと同義語です。　―中略―　それは精神論ではなく、最も合理的な、逆境の乗り越え方なのです」と結論づけておられる。さすが、出口さん、ええこと言わはるやん。って、ちょっと上から目線か。

前にも書いているけれど、運命というのは、後になってからしかわからないものなのだから、早い段階で運命を受け入れるというのは難しいかもしれない。しかし、吉野さんの話とあわせて考えると、どの段階かで、これは受け入れるべき運命なのかどうかを判断することが肝要だ。

行動経済学の大家である大阪大学の大竹文雄先生のお声がけで、「走る哲学者」として知られる四〇〇メートルハードル走の為末大さんと、風しんワクチンについての鼎談をする機会があった。それをきっかけに為末さんの書籍を調べてたら、『諦める力　勝てないのは努力が足りないからじゃない』（プレジデント社）という本があるではないか。早速読んでみたら、サンクコストなど同じような考えが書いてあった。やっぱり正しいんやわ。

人間というのは勘違いしがちなもんで、あきらめないでがんばってるつもりでも、単に慣性力に流されてるだけかもしれません。で、気がついたら、歳だけとってしもて、どうしようもなくなってしもてる可能性も大ありですわ。それに、世の中があきらめられない人であふれかえってたりしたら、どろどろしててえらくきつそう。そんな世の中って息苦しすぎませんかね。で、結論。「あきらめない」を座右の銘にするのはまぁよろしい。けど、それを金科玉条《きんかぎょくじょう》のごとく守るのはいかがなものか。まずは、さまざまなことを合理的に考えて、あきらめないで続けるべきであるかどうかを判断することが大事なんとちゃいますやろか。「あきらめない」に続けて「ただし、あきらめが肝心ということも常に忘れない」くらいの注意書きが必要ですやろな。中途半端やなぁ、って思われるかもしらんけど。

29

果報は寝て待て

これまでいちゃもんをつけてきたように、座右の銘はだいたい厳しすぎるやつが多いんですわ。まぁ、そうでないとあんまり意味をなしませんから、しょうがありませんけど。しかし、中には逆のものがあります。「果報は寝て待て」、これはさすがに、どう考えてもゆるすぎません？

とはいえ、このようなことわざがあるということは、そういうことができない人がおる、あるいは、難しい状況がある、ということなんでしょうか。いや、きっと、こうしときたい、なんもせんと待っときたいという願望を持つ人がたくさんおるからとちゃいますやろか。

＊　＊　＊

意味はいうまでもない。「幸福は人の力で手に入れられるものでないから、あせらず時機を待っていればよい」（岩波ことわざ辞典）ということだ。それってあかんのとちゃうかという気がする。そもそも人間は易きに流れやすい。そこへもってきてこんな言葉が降ってきたら、努力をしなくなってしまいそうだ。

「果報」、あまり耳にする言葉ではない。使われるのは、「寝て待て」と「果報者」くらいではないか。いずれも「めぐりあわせのよいこと。幸運」(広辞苑)という意味で使われるわけだが、元来は仏教用語で「因果応報、前世の行いのむくい」を意味するという(これも広辞苑)。後者の意味での「果報は寝て待て」ならわかる。するべきことをしてしまったら吉と出るか凶と出るかは運次第、「人事を尽くして天命を待つ」と同じような意味になる。

それなら基本的に正しい。ひょっとしたら、もともとはそういった意味で使われていたのが、果報っちゅうのは幸運という意味もあるんやから、そっちのほうが気持ちが楽ちんになりますやん、というような輩が多くいるために意味が転じてきたのかも。よう知らんけど。

「待てば海路の日和あり」も似た意味の言葉だ。今は天気が悪くても、いずれ船旅に適した好天がやってくる。ただ、もともとは「海路」ではなくて「甘《かん》露《ろ》」だったようだ。甘露というのは、「中国古来の伝説で、王者が仁政を行えば、天がその祥瑞《しょうずい》として降らすという甘味の液」のことらしい。なんのこっちゃようわからんけど、まぁ、意味的にはどっちでも同じようなもん、「待っていればいずれよい機会がやってくるというたとえ」(岩波ことわざ辞典)ですわな。

「明けない夜はない」「日はまた昇る」「やまない雨はない」とかも、「待てば……」と同じようなたとえだ。似ているとはいえ、これらは、「果報は……」とはちょっと印象が違う。なにが違うかというと、他のは状況説明にすぎないのに、「果報は……」だけは、「寝て待て」と、行為の推奨が伴うからだ。何気なく待つのはええけど、それを積極的に推すってどうよ。

もうひとつ、「果報は……」だけが異なっている点がある。それは時間のイメージだ。「明けない……」「日はまた……」は時間単位、「やまない雨……」や「待てば……」でもせいぜい日から週単位だから、漠然とではあるけれど、期限付きという感じがする。それに対して、「果報は……」は無期限っぽい。

だらだらといつまでも期待を持って待つ、ってあかんすぎるやろ。
岩波ことわざ辞典では、「果報は寝て待て」の項目で、「勤勉を勧め、怠惰を戒めることわざは多く、その反対のものはきわめて少ない」「このように幸運を求める態度を明示したものは例外的だろう」とあるから、婉曲に内容を否定しているようにも読める。ほぉ、見識あるがな。寝て待っているだけで埒《らち》はあかん。「果報は寝て待て」は、怠け者への免罪符と認定したい。

これと逆の意味のことわざには「虎穴《こけつ》に入らずんば虎子《こじ》を得ず」や「蒔《ま》かぬ種は生えぬ」がある。両者とも基礎論理的レベルで正しい。私の場合、このような内容で真っ先に頭に浮かぶのはことわざではなくて、北原白秋作詞の「待ちぼうけ」、山田耕筰による軽快なメロディーの童謡だ。

待ちぼうけ　待ちぼうけ　ある日せっせと　野良かせぎ

そこへ兎《うさぎ》が　とんで出て　ころり転げた　木の根っこ
待ちぼうけ　待ちぼうけ　しめたこれから　寝て待とか
待てばえものは　かけてくる　兎ぶつかれ　木の根っこ
待ちぼうけ　待ちぼうけ　きのう鍬取り　畑仕事
きょうは頬づえ　ひなたぼこ　うまい切り株　木の根っこ
待ちぼうけ　待ちぼうけ　きょうはきょうはで　待ちぼうけ
あすはあすはで　森の外　兎待ち待ち　木の根っこ
待ちぼうけ　待ちぼうけ　もとはすずしい　黍《きび》畑
今は荒野《こうや》の　ほうき草《ぐさ》　寒い北風　木の根っこ

「果報は寝て待て」戦略がいかにバカげているかをこれほど如実に描き出した歌詞はあるまい。なにしろ、本当に寝て待ってたんやから。さすが白秋と思っていたのだが、白秋オリジナルでなく、『韓非子』五蠹《ごと》篇《へん》の「守株待兎《しゅしゅたいと》」という話が原典で、このエピソードから「守株」という単語までできているそうな。ただ、守株というのは、果報を寝て待つのはバカげているという意味ではなくて、昔からの習慣を守り続けるという意味である。それって読み取る内容がちょっと間違えてはいまいか。だいたい、ウサギが木の根っこにぶつかるのを待つというような習慣は、よほどの間抜けでないと身につけようとせんだろうが。まぁええけど。

「果報は寝て待て」みたいな心境になるのは、木の根にぶつかったウサギを獲れるような幸運に恵まれた時とちごて、人事を尽くした後だけにしときましょう。決して投げやりな気持ちで待ったりしたらあきません。そして期間は限定に。それくらいやったら、この言葉は、精神衛生上は十分なメリットがあるんとちゃいますやろか。

30

終わりよければすべてよし

みなさまに（たぶん）楽しんでいただいてまいりましたが、今回でおしまいということに相成りました。まぁ、いろんな座右の銘にいちゃもんをつけるという企画なので、それほどたくさんはないわけであります。探せばまだまだありそうですが、一五回とキリのいいところでもありますし。ということで、最終回にふさわしい言葉として「終わりよければすべてよし」を取り上げさせていただきたく存じます。

＊　＊　＊

いつものように「ことわざ辞典」をひいてみる。いずれにも載っていて、岩波ことわざ辞典には「物事の締めくくりがうまくゆくならば、途中がどうであっても問題にならない。要は最後が大事だということ」とある。意外なのは、きちんとした出典が存在することで、それもシェイクスピアだ。

「All's Well That Ends Well」という戯曲があるらしい。その邦訳が「終わりよければ全てよし」なのだ。知らんかった……。ウィキペディアによると「シェイクスピアの作品でもとりわけ公演回数が少ない作品の一つ」とされているから、私ごときが知らんかっても無理ないわな。

もっと意外なのは、日本でことわざ化した時代だ。同じく岩波の辞典によると「日本では第二次大戦後になってからことわざ化したようだ」とある。えらい新しいやん。それ以前は単に「終わりが大事」と言っていたらしい。「終わりよければすべてよし」には、過程はどうでもええんやという意味がこめられているから、ニュアンスがだいぶ違う。

ざっくりした分け方だが、成果重視と経過重視という考え方がある。最近ではそうでもないような気がするが、日本では経過が重視されがちだった。こういった傾向が「終わりよければすべてよし」といった考えが戦後まで入ってこなかった理由かもしれない。

昔の日本を支えていたのは稲作である。収穫は天候に大きく左右されるとはいえ、稲作には多くの人が力をあわせて営むことが必要であった。そんな社会では、成果重視ではなくて、経過重視にならざるをえなかったのだろう。経過をおろそかにすれば成果がよくならないのだから、因果的にいって極めて妥当なことだ。

工業化社会、そして、イノベーションの時代になり、日本でも成果主義が広まったのは時代の必然なのかもしれない。思うにイノベーションというのは成果主義の極致である。いうてみたら、爆発的な成果を産む「思いつき」にすぎないのだから、経過などあってないようなもんですわな。

そのような時代の流れだけでなく、人間には、終わりよければすべてよし的な性癖がすり込まれている可能性も高い。行動経済学で「ピーク・エンドの法則」と呼ばれるものがある。経験がどのようなものであったかは、その経験全体ではなく、ピーク（絶頂）時と終わり（エンド）の出来事やそれに対する感情で判断してしまう、というものだ。

ノーベル経済学賞を受賞した行動経済学者ダニエル・カーネマンの有名な研究に、大腸内視鏡検査の苦痛に関するものがある。今は大腸ファイバーの性能がよくなっているし、麻酔下でおこなわれることが多いので痛みはほとんど感じないが、昔はけっこうな苦痛をともなう検査だった。

二人の患者AさんとBさんが検査を受けた。痛みのピークの強さは同じ程度だったが、Aさんの検査は八分で終わったのに対し、Bさんは二十二分もかかった。時間が長い分だけ、痛みの総量は三倍近くと圧倒的に大きかったから、Bさんのほうが大きな苦痛を感じたはずだ。しかし、結果は逆だった。どうしてかというと、Aさんは痛みのピークを迎えた時点で検査が終了したのに対して、Bさんの場合はピーク時の痛みの半分程度になってから検査を終えていたためだ。

この話を聞くと、終わりがよかったらそれでええんや、ということになりそうだ。しかし、世の中の出来事のほとんどはこれほどシンプルではなかろう。大腸検査の例ではピークでの痛みの度合いは同じという条件でエンドが大事という結論になったが、エンドではなくピークも大事ということに視点を移して考えてみたい。

将棋棋士、あの永世名人・大山康晴《おおやまやすはる》のライバルだった升田幸三《ますだこうぞう》をご存じだろうか。記録にも残るが、より記憶に強く残る棋士で、「人生は将棋と同じで、読みの深い者が勝つ」「着眼大局　着手小局」など数多くの名言を遺している。その天衣無縫《てんいむほう》の人生は『名人に香車を引いた男　升田幸三自伝』（中公文庫）に詳しいので興味のある人はぜひ読んでほしい。

その升田幸三がよく語っていたとされる言葉に「人間、笑えるときに笑っておけ。いつか泣く日がくるのだから」というのがある。もちろん最後に笑えればそれに越したことはない。しかし、そうとは限らないのが人生ではないか。

さすが升田幸三、大好きな格言だ。

ぬか喜び、という言葉がある。広辞苑には「あてがはずれて、よろこびが無駄になること。また、そのようなつかの間の喜び」とある。たいていの人は、ぬか喜びをしてあほらしかったと落胆して終わるようだが、はたしてそう考えるべきだろうか。

研究には失敗がつきものだ。うまくいっていると思いながら喜んで続けていたのに、予想外の結果が出てにっちもさっちもいかなくなることがある。そんな時、ぬか喜びだったと悲しくなる。エンドだけを見ればそうだろう。しかし、一時的にピーク、とまではいえないかもしれないが、ともかく喜べたのである。そのことをもっと積極的に評価したほうがいい。ぬか喜びでも、ずっとなにも喜びがなかったよりもはるかにましではないか。そういう姿勢があらまほしいと昔から考えてきたし、若い人たちにもそう考えたほうがよろしいと常に指導してきた。

経過重視というようなたいそうな話ではない。笑える時には思いっきり笑う。そういう姿勢が幸せな人生を送るために大事なのではないかという提案である。たしかに後になって泣く日がくるかもしれない。そうなるかもわからんけど、うれしいことがあればとりあえず思いっきり笑う。で、ラストがもしあかんかっても、まぁあの時笑えてよかったとしよう、と考える。

「終わりよければすべてよし」というような偏狭な考えより、「終わりよければそれもよし」くらいの大らかな気持ちのほうがええんとちゃいますやろか。終わりをよくしようと思いすぎるのって、なんかさもしいような気もするし。

なにも終わりが悪くてもいいとか言いたいのではない。できるだけ終わりはよくすべきだ。現役時代、論文を書く時にいちばん気にしていたのは、内容はもちろんだけれど、ラストをうまく締めくくること。「読後感を爽やかに」というのが、論文の書き方セミナーをする際に声を大にして強調するポイントだったくらいなのだから。

六十五歳を越え高齢者の仲間入りをした。最近、母親が亡くなったこともあって、人生の終わりをよく考えるようになった。論文と同じように、できたら、知り合いたちに爽やかな印象を残して死んでいきたい。けど、これまでの経緯からそれはもう無理かもしらん。そうではないことを祈ってるけど……。

でも、エンド、ええ人生やったと思いながら死んでいくことはできそうな気がする。そんなことを考える時、オーストラリアの緩和ケア看護師ブロニー・ウェアの書いた『死ぬ瞬間の5つの後悔』という本の内容をいつも思い出す。これについては、第一幕の第六回（四五頁）で紹介したので、そちらをご覧いただきたい。

やっぱり、終わりをよくするには、漫然と暮らしてたらダメで、そのことを意識して生きていかなあかんということですわな。それも、できれば楽しみながら。その方向でこれからもがんばりまっせぇ、ということで、連載を終わりまする。これまでのご愛読、まことにありがとうございました。

え、最終回やからもっと期待して読んだのに、もうひとつやって？　渾身の力をこめて書いたんですけど、あきませんかねぇ。もし、そう思われた方は、今回のをもう一度読み直してください。なにしろ「終わりよければすべてよし」っちゅうようなわけではありませんで、というのがテーマなんですから。連載中に一個くらいはむっちゃおもろいピークのがあったのを思い出してちょうだいよ。と、言い訳をしながら、さいならぁ〜。

おわりに　とりあえず謝ること、そして厚意に甘えること

ここまでお読みいただき、ありがとうございました。お楽しみいただけましたでしょうか？　え、面白くなかったって？　もしそのような方がおられましたら、伏してお詫び申し上げたく存じます。

とは書いているものの、まさかそんな人はいたはらへんやろうと思ってはおるのです。雑誌連載もウェブ連載も好評やったし。それやったら、なんでいきなり謝るねん！　と言われるかもしれませんが、これは私的座右の銘である

「怒られたら、とりあえず謝る」

を説明したいがためであります。

なんやねんそれは、と思われるかもしれませんが、これは人生で最初に抱いた座右の銘的なものと言えるかもしれません。それはまだ座右の銘などという立派な言葉があることすら知らなかった幼きころの話です。

小学校三年生、四年生の担任は、イナバ先生というそれはもう怖すぎるくらい怖い先生でした。今でもそのなごりはあるのですが、幼きナカノ少年はＡＨＤ気味で、家族からは、毎日叱られるために学校に通っているのではないかとあきれられるほどでした。まぁ、おおむねこちらが悪いのですが、理不尽に叱られたこともあります。それは色覚検査でのことです。

色覚異常があるので、石原式検査表の数字が読めません。なのに、普段から態度が悪かったせいか、なんでこんなんが読まれへんねん、と叱られたのです。理不尽すぎます。自分が色覚異常であることなど知らなかったのですからどうして怒られたのかすらわかりません。でも、とりあえず謝ってました。以後、いろいろと経験するうちに悟ったのです。叱られたらとりあえずは謝ったほうがええと。

誰かに怒られるという状況を場合分けしてみましょう。ひとつは、自分が悪かった場合です。これはもう謝るしかありません。もうひとつは、こちらが悪くないのに、相手が勘違いして怒ってくる場合です。ここでとりうる行動は二つあります。相手の勘違いを指摘するか謝るかです。

相手はすでに臨界点を超えて怒っているのです。そこで間違いを指摘したら、その指摘がたとえ正しかったとしても火に油を注ぐこと必至でしょう。だから、とりあえずは謝っておいて、あとでほとぼりが冷めてから誤解を解きにいったほうがよろし。なので、どちらにしても、とりあえず謝る戦略が正しいのであります。

最後にもうひとつ、お気に入りの私的座右の銘をば。

「厚意には甘える」

どうです？　これって大事なこととちゃいますやろか。お食事をごちそうになるとか、いただきものをするとか、遠慮しすぎるのはよくないのではないか、という考えであります。先方はそれなりの理由があってご厚意を示してくださっているのです。もちろん満腔《まんこう》の謝意を表しながら、ですが、遠慮なく受け取るのがむしろ礼儀と違いますやろか。お礼をどうするか問題はケースバイケースですけど、基本ルールを持っています。それは、ご本人には返さない、というものです。

なんやその礼儀知らずは、と怒らないでください。あ、スミマセン、とりあえず謝らないとあかんのやった。それはさておき、どういう意味か説明します。

たいがいの厚意は目上の方から受けることが多いのであります。おおよそ、そういう人たちは金銭的にも恵まれておられます。だから、ご本人にお返しするのではなくて、同じようなことを若い人たちにするようにしています。けっこうええんとちゃうかと思うんですけど、どうですやろか。こういうことが拡大再生産されていったら、なんかええ感じとちゃいますやろか。

この本をお読みいただき、本当にありがとうございました。みなさまのご厚意に心から感謝申し上げるほかなにもできることはございませんが、「厚意には甘える」というのがモットーゆえ、何卒ご寛恕のほどお願い申し上げます。

仲野　徹

初出

第一幕
「仲野徹センセイの座右の銘は銘々に」
（『DOCTOR'S MAGAZINE』2020年1月号～6月号、
メディカル・プリンシプル社）

第二幕・第三幕
「仲野徹センセイの座右の銘は銘々に Returns! リターンズ」
（『DOCTOR'S MAGAZINE』2021年4月号～12月号、
メディカル・プリンシプル社）

第四幕・第五幕・第六幕
「仲野教授の こんな座右の銘は好かん！」
（「みんなのミシマガジン」（mishimaga.com）
2022年5月～2023年8月、ミシマ社）

上記に加筆・修正を加え、一冊の本として構成しました。

仲野 徹（なかの・とおる）

1957年大阪・千林生まれ。大阪大学医学部医学科卒業後、内科医から研究の道へ。ドイツ留学、京都大学医学部講師、大阪大学微生物病研究所教授を経て、2004年から大阪大学大学院医学系研究科病理学の教授。2022年に退官し、隠居の道へ。2012年日本医師会医学賞を受賞。著書に、『エピジェネティクス』（岩波新書）、『こわいもの知らずの病理学講義』（晶文社）、『考える、書く、伝える　生きぬくための科学的思考法』（講談社＋α新書）、『仲野教授の そろそろ大阪の話をしよう』（ちいさいミシマ社）、『仲野教授の 笑う門には病なし！』（ミシマ社）など多数。

仲野教授の この座右の銘が効きまっせ！

2024年3月19日　初版第1刷発行
2024年8月26日　初版第3刷発行

著　者　　仲野 徹

発行者　　三島邦弘
発行所　　株式会社ミシマ社
〒152-0035　東京都目黒区自由が丘2-6-13
電話　03-3724-5616 ／ FAX　03-3724-5618
e-mail　hatena@mishimasha.com
URL　http://www.mishimasha.com/
振替　00160-1-372976
装　丁　　寄藤文平＋垣内晴（文平銀座）
印刷・製本　株式会社シナノ
組　版　　有限会社エヴリ・シンク

ISBN　978-4-911226-01-8